今日の空が一番好き、とまだ言えない僕は

福徳秀介
Fukutoku Shusuke

小学館

今日の空が一番好き、とまだ言えない僕は

福徳秀介

Fukutoku Shusuke

小学館

目次

今日の空が一番好き、とまだ言えない僕は

福徳秀介

第一章

花曇

「雲は空にしかいられない」

亡くなった祖母の言葉。

自分の居場所は必ずどこかにある。それがたくさんある人もいれば、雲のように、たった一つしかない人もいる。

自分の居場所はどこだろう。

現状、僕の居場所はこの大教室ではない。


チャイムが鳴った。

教授の「今日の講義はここまで！」が合図のように、学生たちは自然と友達同士の輪を作り始める。大きめの輪があったり小さめの輪があったり。大きめの輪の特徴は中心人物がゆっくりと鞄《かばん》に教科書をしまい、周りがそれを待つ。小さめの輪の特徴は全員が遠慮し合っている。

大教室には学生が２００人以上いて、数えきれないほどの輪ができる。特に二時限終わりは昼休みが始まる時間でもあり、余計に増える。昼休みをその友達と過ごしたいのか、一人で過どすのが嫌なだけなのかは曖昧。

それらの輪を眺めるのが嫌いだ。だからいつも出入口に近い席につき、一番に退室をする。

しかし今日は違った。

ある女子学生が僕よりも早く立ち上がり歩き出した。

先を越され、一瞬苛立《いらだ》つ。

彼女は軽い足取りで進む。ただ一点、出口だけを見つめたまま。

それは急ぎの用があるのではなく、輪を見ることを嫌っているようだった。

紺色無地のカジュアルワンピース。

定規を当てたように真っ直《す》ぐに切り揃えられた前髪。

そして何より目立ったのは大きなお団子頭。グレープフルーツほどの大きさ。

そんな愛嬌《あいきょう》溢《あふ》れる頭頂部とは違い、表情はモデルがランウェイを歩くように澄ましている。

全くキャンパスライフに媚《こ》びていない。本来、花のキャンパスライフを過ごせる素質があるのに、丁重にお断りしているように見える。

この大学にはふわっとして華がある女子学生が多い。まるで咲き誇る桜のようにきらびやか。

対して彼女は、幼い頃祖母に教えてもらった、幹に直接咲く一輪の桜——胴吹き桜のように、粛として孤立していた。

彼女は輪を嫌う雰囲気をまとったまま、出口手前にある箱に出席カードを入れる。そして大教室には相応《ふさわ》しくない、一人分の幅しかない開き戸の取っ手を摑《つか》み、押した。

しかし開かない。

取っ手の上には〈引〉とある。つかえて一人で声を出さずに笑う。口角《こうかく》が持ち上がると、目の下にシワができた。なめらかな横線。

笑顔が消えると、目の下のシワも消え、未練を微塵《みじん》も残さず教室から出ていった。

「おーふ」

一連の様子を眺めていると、吐く息が声帯を震わせ、変な声が出た。

急に耳につく学生たちの話し声。いつの間にかチャイムは鳴り終わっていた。

彼女のあとを追うように次々と出ていく学生たち。

絶対に落ちない、両肩にかけたカーディガンをひらひらさせて出ていく女子学生。友達と同じペースで歩けているか不安になり、何度も背後を確認しながら出ていく、輪の先頭を歩く男子学生。必要以上の笑い声を上げながら出ていく学生たち。後続者のために扉に手を添えて、閉まらないようにし、それをバトンのように繫《つな》いでいく。

気が付けば、大教室に残っていたのは僕だけだった。

ゆっくり立ち上がり、出口に向かう。

出席カードを提出する箱はなくなっていた。今時珍しく古典的な出席確認方法をとる教授の冷たさを思い知る。

扉の取っ手をいつもより強く握る。そして、押す。

もちろん、開かない。

ひと息ついて取っ手を正しく引き、大教室をあとにした。

室内と屋外の気温差がない5月中旬。ゴールデンウイークの余韻は微塵もない。

空が青く澄んで、電線の黒さが際立っていた。


「おーい！　こにっしゃんー！　学食行こうやねん」

遠くから聞こえる声。関西大学の唯一の友達、山根《やまね》だ。同じ文学部。

僕、小西《こにし》を「こにっしゃん」と呼ぶ。

「よっ。腹減ったなー。学食行こうか」

僕らは昼休みを食堂で過ごすことが多い。

「よっしゃやねん。何食うやねん。やっぱりタルタルチキンカツねんかい？」

大分県出身の山根は、方言コンプレックスと大阪弁への憧れのせいで、唯一無二の山根弁を完成させている。

坊主頭。服装は奇抜……悪い意味で。今日はベージュの長ズボンに、世の中で一番赤いと思われるトレーナー、そして真緑のスニーカー。ベージュが黄色に見えて、全身で信号を表しているみたいだった。

僕はというと、グレーの長袖《ながそで》シャツに細身の黒パンツ、ハイカットの黒オールスター。ありきたりな5月中旬の服装。しかしありきたりではない。

僕は日傘をさす。紺色無地の折り畳み日傘。

日射しを気にしているわけではない。

山根がいないときは、一人で関西大学のキャンパスを歩かなければならない。

花のキャンパスライフを過ごす学生たちの「あいつ一人や」という視線を遮《さえぎ》るため。

さらに、一人で過ごす言い訳が欲しかった。「男にしては珍しく日傘をさしている。あの学生は少し変な人なのだろう。一人でいることが好きそう。だから一人なんだ」と思われる必要があった。そのために一年中、昼夜を問わず、一人でキャンパスを歩くときに限り、日傘をさしている。

雨が降れば、雨傘をさす。日傘は友達が少ない僕の盾。

そんな学生生活は2年目に突入していた。

昼休みの食堂は学生でごった返している。

食券を買う前に、まずは席取り。大きなテーブルが数えきれないほどあり、様々な学生のグループが相席をしている。暗黙のルールなのか、自然現象なのか、一人っきりの学生は入口すぐのところにあるテーブルに集まる。もちろん、ここに来ない学生もいる。学部ごとにある小さな食堂に行く者や、売店でパンなどを買って適当な場所で過ごす者もいて様々。

「こにっしゃん。あれ見てねん。すごいねん」

山根が指を差す方を見る。

「うぉいっ！」

変な声が出た。

食堂の中央のテーブルで、何組ものグループに囲まれて、唯一、一人っきりで黙々とざる蕎《そ》麦《ば》を食べている女子学生がいた。

ドアにつかえたお団子頭だ。

自分なら唾すら飲み込めない状況。喧噪《けんそう》で搔《か》き消されるはずの蕎麦をすする音が、聞こえてきそうだった。

「あの子、強いやねん。薬味をつける余裕もあるねん。こにっしゃん。わしらも別々で食べてみようねん？　一人で」

山根の提案に何も答えられず、彼女だけを一心に見つめていた。箸で蕎麦を手繰《たぐ》る姿が勇ましくもあった。

「こにっしゃん？　知り合いねんかい？」

「……いやいや、違うで！」

「そうかねん。よし、離れ離れで食べてみようねん」

「わかった」

それぞれが見える席を確保し、彼女の真似《まね》をして、ざる蕎麦を注文した。お盆に乗せ、テーブルに戻ると彼女はもういなかった。

喧噪に掻き消され、聞こえなかったはずの蕎麦をすする音。それが不思議と鼓膜に残っていた。

僕は男だけのグループと、男女グループに囲まれた。山根はテニスサークルの男女の集団が占領しているテーブルの端でざる蕎麦を食べた。

通りすがりの学生たちは「あいつ一人や」と冷やかな目を向けてくる。

身を隠しながら蕎麦を手繰り、あっという間に平らげて、食堂を出た。

「こにっしゃん、あの子すごいやねん。一人ざる蕎麦女ねん。やっぱりねん、大学って友達の数に価値があるねん」

「一人ざる蕎麦女ってなんやねん……あの子、強すぎるわ。おれ、めっちゃ恥ずかしかったもん。あの子、一人でいることが屁《へ》でもないんやろな。日傘してる自分が格好悪いわ」

「日傘はこにっしゃんぽいから、よかとやねん」

日傘をさす理由はとっくに説明していた。

「よかとやねんって、どこの方言やねん」

「わしはこにっしゃんと比べて、キャンパスを一人で過ごすことが平気ねん。でも食堂のど真ん中はねん、さすがに無理ねん。蕎麦の味、わからんかったねん。タルタルチキンカツにすれば良かったやねんー」

山根も関大の友達は僕だけだった。

余ってしまった昼休みを、芝生《しばふ》広場のベンチで僕らは空を仰ぎながら過ごした。

僕の大学生活は授業、山根と過ごす昼休み、アルバイト。基本的にこれだけ。

この日の授業が全て終わり教室を出る。

暗くなり始めている空を眺めて、日傘をさす。正門を出れば閉じる。

日傘は祖母からもらったもの。


高校一年の夏休み、軟式野球部に属していた僕は真っ黒に日焼けしていた。それを見かねた祖母は「練習以外では、これをさして歩きなさい。皮膚癌《がん》になるよ」と、紺色の折り畳み日傘をくれた。

両親が共働きだったこともあり、いわゆる、おばあちゃん子だった僕は祖母の言いつけはほとんど守った。しかし、年頃の男子には日傘をさして歩くことは異様に思えて一度も使わなかった。それを何度も注意されたが頑《かたく》なに断った。

「日傘さしなさい」

「こんなんさす奴《やつ》おらんで。浮いてまうわ」

「みんなと違う方がいいんやで。みんなと同じやったらね、少しの違いが気になるでしょ？ほな、疲れるんよ。人とあからさまに違ってる方が楽なんやでー。楽に生きられるでー」

うるさく感じた言葉。今なら身にしみる。

祖母はその冬、玄関で躓《つまず》き腕を骨折した。それが原因ではないのだろうが、少しずつ物忘れが多くなり、気付いたときには認知症が始まり、急速に悪化した。僕を何度も若い頃の父と勘違いするようになった。祖母にとっての息子。

「父さんじゃないって、徹《とおる》やって」

「あっそうかそうか」

初めは間違えられる度に訂正した。すると祖母は恥ずかしそうに笑っていた。しかし数ヶ月が経った頃から、祖母の反応に変化が見え始めた。

「変なこと言いなさんな！」

自分の非を認めず、怒鳴る。その顔つきは頭頂部を糸で引っ張られているように吊り上がっていた。それを見たくない一心で、若い頃の父をその都度演じた。

そして僕が高校二年の冬、祖母は亡くなった。

医者は難しい言葉を並べて説明していたが、要は合併症による肺炎が悪化したらしい。

葬儀では平静を保っていたが、棺《ひつぎ》の蓋が閉められた瞬間、全身が震えて立てなくなり、両膝をついた。

亡くなる数週間前、祖母は笑顔で言った。

「家族の数だけ、別れがあるんやで。覚悟しいや」

身体が弱っても歯だけは健康で、白い歯が輝いていた。それに見惚《みと》れ、祖母の目が潤んでいることに気が付いたときには、何も言えなかった。

あの笑顔を思い出し、何とか立ち上がった。

あの日は適度な量の雲があって、青くて、子供がクレヨンで描きそうな単純な空だったのを覚えている。

僕は空を眺める癖がある。

小学一年のある雨の日。

「はれ、くもり、あめ、おばあちゃんは、どれがいちばんすき？」

「私はね、今日の空かな」

「おばあちゃんは、あめがすきなんや」

「違うねん。私は毎日こう思う。今日の空が一番好き、って。空は毎日変わる。今日の空は今日しか見れないんやで。今日の空に『初めまして』、今日の空に『さようなら』って」

「おばあちゃん、きょうのそらって、たくさんいったね」

的外れな返事に対して、祖母は優しく頭を撫《な》でてくれた。

中学生にもなると、雨が降ってきて「最悪や……」と嘆くと、「違う！　今日の空が一番好き！って思わないとアカンよ」と軽く叱られた。

大学生になり、昼夜を問わずキャンパスでのみ日傘をさしている僕の姿に、天国にいる祖母は何を思うだろうか。

「人と違っていいやん。でも、そうゆうことではなかったんやで」

祖母の少しかすれた優しい声が聞こえてきそうだった。


次の日の土曜日。

空には、たくさんの小さな雲が点々としている。

巨人が雲をちぎって投げ散らかしたよう。

正門をくぐり、日傘をさす。キャンパスは平日より学生が少ない。大学は授業の時間割を個人で決められるので、土曜日を休みにする人が多い。ただしそれは、友達がいて情報が回ってくる学生のみ。僕のような情報弱者は単位を取りやすい授業を知らないので、効率のいい時間割を組めない。

よって土曜日は、勤勉家と情報弱者の学生しかいないと言っても過言ではない。だからこそ一番落ち着ける曜日でもある。

Tシャツ一枚の僕になめらかな風が吹く。平日よりも、一人当たりの風の取り分が多い気がして穏やかな気持ちになれた。

日傘で狭まっている視界がいつもより広いのは、風を味わうためと、一人ざる蕎麦女を探すため。彼女のキャンパス内での歩き方を見たかった。闊歩《かっぽ》しているに違いない。

しかし都合よく出くわすことはなかった。

昼休み、山根と合流する。ベージュの長ズボンにベージュのロンT。坊主頭も手伝ってイモムシみたいだった。

今日は売店で１００円で売られている〈でっかいカレーパン〉を買って、芝生広場で食べた。小脇に抱えるセカンドバッグくらい大きい。少々、大袈裟《おおげさ》なたとえではあるが本当に大きい。

「こにっしゃん、わし今日、一人ざる蕎麦女を見たやねん」

「どこで⁉」

反射的に手のひらを広げてしまい、カレーパンを落とした。

「落ちとるやねん！」

「ええねん、ええねん。食える。で、どこで見たん？　どんな感じやった？」

「正門辺りで見たねん。やっぱり一人で平然と歩いてたやねん」

「おぉー」

カレーパンを拾わず、感嘆の声を上げた。

山根は不思議そうな目でこちらを見ていた。

僕らが異性の話をすることは珍しい。

普段、女性にまつわる話題は全くない。それは今まで山根に彼女ができたことがないと思われるから遠慮をしていた。大学二年になった山根に「彼女できたことがないねん」と言わせるのは酷だと思った。男としての思いやり。

僕は、高校二年のときに同級生と一年くらい付き合ったし、実は大学一年の夏前に全く知らない四年生だった先輩にキャンパス内で声をかけられ、気が付けば、付き合っていた。実家住まいの先輩は僕の下宿先に泊まりに来たこともあった。

もしかすると一発逆転、花のキャンパスライフが始まるのでは⁉　と期待した。

しかし10日が過ぎたある日、「別れよう」と告げられ、適した言葉が見つからず「そっか。その方がいいかも」と返事をすると、「やっぱり何考えてるかわからん人やわ」と呆れられた。

虚《むな》しさはあったが悲しみはなく、ため息一つで解消できた。この10日間はずっと嘘《うそ》をついていたような感覚だった。

先輩と別れてからはキャンパス内で偶然すれ違うことがあり居心地が悪かった。顔を隠す用途で、実家に帰ったときに久しぶりに見かけた祖母からもらった日傘を持ち出し、さすようになった。それがいつしか自分を守る盾になった。

こんな妙な恋愛経験も山根には話していない。だから、一人ざる蕎麦女の話だけでも新鮮だった。

「やっぱり団子頭やった？」

落としたカレーパンを拾い、ついた芝を息で吹き飛ばした。

「そうやったような気がするやねん。……それにしてもカレーパンは腹がいっぱいになるやねん」

山根が自ら切り出してきた話題にも拘わらず、あからさまに話を変えてきた。

僕らはやっぱり異性の話をするべきではないのかもしれない。

夕方、授業を全て終えて、日傘をさしながら、法学部と文学部の校舎と正門を繋ぐ〈法文坂〉を下る。

入学式の頃は見事な桜並木。ソメイヨシノ。

関大に入学して10日ほどは桜並木に迎え入れられ、花のキャンパスライフを想像して胸が躍った。

しかし、思っていたように友達はできず、地味なキャンパスライフの現実を突きつけられる。ちょうどその頃、桜の花は全て散り、法文坂も地味になる。それが自分の現実と重なり、胸が疼《うず》く。

法文坂を〈自分坂〉とこっそり名付けた。

二年になった今年、そんな法文坂に新たな発見をした。鮮やかなソメイヨシノの白っぽいピンクに混じり、緑色を放ち始めた一本の樹。ヤエザクラだ。その孤立が自分と重なり、〈自分桜〉と名付けた。

しかし、ソメイヨシノが散ってしばらく経った頃、ヤエザクラは自信満々に咲き誇ったのだ。遅咲きのヤエザクラが華やかに丸くふんわりと花を咲かせる。自分勝手に僕は、裏切られた気持ちになった。

正門を出て、日傘を閉じる。

関大前通り。一本道の緩い下り坂。

大学が仕掛けたような真正面に見える西日。春は学生を照らし、夏は歩行者に嫌われ、秋は辺り一面を赤く染め、冬は人々に愛される。そんな西日に僕はいつも跳ね返されそうになる。

下宿先のアパートには直帰せず、正門から少しだけ下ったところにあるパスタ屋の〈プーケ〉に寄り道をする。

目的はパスタではなく、店前にいる看板犬のラブラドールレトリーバーのサクラ。

サクラは、常連客だけに激しく尻尾《しっぽ》を振るという才能がある。毛並みに沿って撫でると面倒臭そうに立ち上がり軽く尻尾を振ってくれる。一度も〈プーケ〉に入ったことがない僕にはこの程度。常連客との違いは一目瞭然だ。

サクラは放し飼いにされていて、店前だけではなく、関大の正門をくぐりキャンパス内をウロウロする。サクラにとって関大は広い庭。正門にいる警備員さんは「車、通りまーす」と学生の足を止めて交通整理をする。さらに「サクラ通りまーす」と車を止めてラブラドールレトリーバーを関大に招き入れる。この光景は関大では当たり前。

僕は大の犬好きで、サクラと触れ合う度に、小学六年生のときに死んだ我が家のゴールデンレトリーバー、デン太を思い出す。嬉しさで和む反面、秋の夕暮れのような寂しさが入り交じった気持ちになる。

「バイバーイ」

頭を撫でて別れる。サクラは何事もなかったかのように元通り寝転んだ。

正門前のテイクアウトのみのサンドウィッチ屋〈ジャポネーゼ〉を右に曲がり、緩い坂道を上がる。営業は夕方までで、もうシャッターが閉められている。昼休みは大行列ができる人気店。ここもまた並んだことはない。並べるはずがない。なぜならば、ここに並んでいる学生たちは必ず友達と一緒で、皆お洒落《しゃれ》なのだ。美味しいサンドウィッチを食べるための列というよりも、〈ジャポネーゼ〉に並ぶというお洒落を楽しんでいるように見える。普通の格好をした学生を小馬鹿にしているようにすら感じる。これが彼らへの嫉妬であることは重々承知している。

店構えは赤と白の縞《しま》模様でアメリカ風。ファッションに疎《うと》そうな学生が何人か集まって並んでいるのをたまに見かけるが、痛々しい。そこに果敢に一人で並ぶ勇気もなければ、山根と並ぶ勇気はもっとない。

山根以外の友達は地元にいる。高校時代の軟式野球部の同学年の仲間。弱小チームで全員レギュラー。部活動だけではなく、休み時間もずっと一緒だった。同じように、大学生になっても仲間ができると思っていた。

しかし現実は、一人でキャンパス内を歩くことばかり。この落差を受け止めることができず、日傘で自分を守る術《すべ》を覚えた。

〈ジャポネーゼ〉前の緩い坂道を上りきり、左に曲がり、坂道を下ったところに、下宿先のアパート〈さくらハイツ〉がある。

二階建てで薄汚れた白い壁、灰色の屋根。外階段を上がってすぐのところに僕の部屋がある。薄いピンク色の扉。〈さくらハイツ〉と名付けられた所以《ゆえん》である。入居してしばらくはこのピンク色に抵抗があった。それはここに遊びに来るであろう関大の友達に笑われると思っていたから。でも来たのは10日間だけ付き合った先輩と山根だけだった。

8畳のワンルーム。電気をつけて見ると、シャツの袖にサクラの毛が何本もついていたが、そんなことは全く気にならなかった。

癖のようにテレビをつける。クイズ番組でゲストの女優が不正解を出し、出演者全員が大笑いした。そして、次の問題が読まれると、全員が真顔になった。

息ができないくらい大笑いすることは年に一度あるかないか。

あいにく、大学に入学してからそんなことはほぼない。

大笑いで思い出すのはやはり、あの事件。

高校の軟式野球部の部活帰りに同学年のみんなで銭湯に行ったことがあった。他の客はおらず貸切状態。副キャプテンの林《はやし》が脱衣場で、誰も張り合っていないのに一番に全裸になり「一番風呂だー！」と言いながら風呂場に駆け込んだ。と同時に足を滑らせ、一瞬全身が宙に浮き、そのまま落下した。それを見た僕らは爆笑した。全員が息もできないほど笑い続けた。これを『林の空中浮遊事件』と名付け、高校を卒業してからも軟式野球部のみんなで会う度にこれで盛り上がる。

春休みに三重に帰省したときもまた息ができないくらい笑った。林が空中に浮いているときに、股間が上を向いていたと言い出す奴が現れ、またまた笑った。幸い、林が無傷だったから笑い話になった。

この話はきっと年月をかけて、どんどん膨らんでいくに違いない。

すぐにテレビを消す。真っ黒になった画面に自分が映った。誰よりも満喫するつもりで入学した大学。色とりどりの四年間。

それを思い描いていた奴とは、到底思えなかった。

深夜0時前、バイトに向かう。家から10分ほど歩くと銭湯〈めめ湯〉が見えてくる。大学の入学と同時にここでバイトを始めてもう2年目。

〈めめ湯〉の外観は銭湯の基本。まさに銭湯といった雰囲気。由緒ある銭湯で100年くらい続いているらしい。薄れた紺色の暖簾《のれん》には〈めめ湯〉と書かれている。営業はすでに終了しているので暖簾を片付け、古びた木製の下駄箱に立て掛ける。下足場で靴を脱ぎ、一段上がると、男女それぞれの扉。もちろん左側の男風呂の扉から入る。

「おはようございまーす」

「おはよー、そして、こんばんは」

ご主人の佐々木《ささき》さんがいつもの挨拶をしてくれる。

「今日はどうでしたか？」

脱衣場の濡れ具合から、その日の客入りが僅かにわかる。

「めっちゃ多かったわ。関大のアメフト部が20人くらい来よって、ムキムキだらけやったでー、あれだけムキムキ集まったら、笑けるな」

番台で小銭を数えながら笑った。

「佐々木さん、一つ聞いていいですか？　今更ですが、なんで、め、め、湯って名前なんですか？」

「知らん」

見事な即答。

アルバイトのさっちゃんが、番台を挟んで反対側の女風呂の扉から入ってくる。ギターケースを背負ったさっちゃんは京都の大学に通う二年生。同い年。軽音部に属している。

「来よった、おはよー、そして、こんばんは。ほな、お二人さんあとはよろしくたのんます」

すぐに帰る佐々木さん。よれよれの白Tシャツを着た後ろ姿がいつも嬉しそうだ。鍵は、佐々木さんの住んでいる隣の一軒家のポストに入れることになっている。

「ほな今日は私がブラシやるから、小西くんは石鹸《せっけん》を撒《ま》くのとホースで流してな」

いつもさっちゃんが仕切る。清掃は単純で、まずは男風呂の湯船の栓《せん》を抜いて、粉石鹸を湯船と洗い場のタイルに撒いて、ブラシで磨き、それをホースで流す。脱衣場は、敷いているタオルを取って、床を雑巾で拭いて、掃除機をかけて、もう一度雑巾で拭いて終了。同様に女風呂もそれをやるだけ。二人体制で、だいたい2時間で終わる。これでバイト代は4000円。

一人体制の場合は3時間半くらいかかるが、６０００円ももらえる。シフトは2週ごとに提出する。最低限、入らないといけない日数もない。なかなかいいバイトだ。

「今日も遅くまで軽音部の練習やったん？」

「そやでー。だからギター持ってるし。早くに終わってたら家に一旦帰れるし、ギター置いてから来るし」

さっちゃんはひと言多い。そして完璧な大阪弁。山根に聞かせたい。

「さっちゃんって大学生活満喫してるよな」

「軽音部入ってなかったら友達なんて一人もできなかったと思うけどなー。家系的にもそんな性格のような気がするわ。だって私のお姉ちゃんも大学生やけど、サークルとか入ってないから友達おらんって言ってんもん。小西くんみたいに」

大学生活のことは、さっちゃんによく話していた。

「小西くん大学内だけで日傘さすの、ほんま意味わからんわ。おもろいけど。普通に歩いたらええやん。こうやって話してる分には普通の学生やのにな。日傘だけが浮いてるわ。大学にさー、好きな人もおらんの？」

何気ない質問に、粉石鹼を撒く手が止まった。排水溝に流れる水が音を立てる。

「……さっちゃんはどうなん？　好きな人いるん？」

「顔、険しっ！　話題と表情、間違ってんで」

自覚はなかった。気恥ずかしくて、表情を変えるよりも先にうつむいて顔を隠した。

「そもそも私が聞いたのに、聞き返す感じ。女々しいわ」

「……女々しい⁉　もしかして、〈めめ湯〉って、女々しいってことかな？」

「知らんわ、そんなん。そんなことより、あのさ！　バンドのスピッツって知ってるやろ？」

あっさり話題を変えられた。

「知ってるよ。昔、『空も飛べるはず』を音楽会で歌ったわ」

「私、『初恋クレイジー』って曲を聴いたんやけどな、それがな、世界最高の前奏やと思ってるねん！　ピアノから始まってドラムがこそこそ入ってくるねん。歌い出しまでの前奏がもう最高！　今度、聴いといてや。ほんまにええから！」

「『初恋クレイジー』か。わかった、聴いとく」

「私、色んな曲を聴いた上での判断やから。脳天に痺《しび》れる前奏やねん。感覚的に痺れることあるやろ？　まさにそれ！　……ってか喋《しゃべ》ってばかりじゃなくて、働きや」

「いや、それはさっちゃんやん」

いつもの調子で、作業を終えて鍵をかけ、佐々木さん宅のポストに入れる。毎度のことで、空っぽのポストの中に鍵が落ちると、夜中の住宅街にうるさすぎる金属音が響き渡る。中にスポンジみたいなものを敷いて欲しいといつも思う。せめて、チラシか新聞を入れておいて欲しい。でもこの音を聞くと、身体は条件反射のように眠くなる。

「小西くん、今日も楽しかったな。友達みんな、『バイトだるい』とか言うけど、私はそんなことない」

「そうやな。バイト仲間がさっちゃんじゃなくて、お洒落でイケイケな大学生やったら楽しめなかったわ」

「バイト仲間て！　ほんで、私がお洒落じゃないってこと⁉」

「いやいや、そうゆうわけでは……」

「わかってる、わかってる！　ほなまたね、バイバイー」

さっちゃんの家は反対方向で、いつも通り、〈めめ湯〉前で挨拶をして別れた。


月曜日の朝、一時限目が始まる前から僕は正門前にいた。

ここは関大生のほとんどが通過する場所。

目的は一人ざる蕎麦女。どうしてもキャンパスを一人で歩く姿が見たかった。

空には、職人が刷毛《はけ》に白ペンキをたっぷりとつけて、大胆に横殴りで描いたような雲がある。

正門をくぐる、穏やかな風。この先に広がる緩やかな空間。時計台の秒針は、外の時計よりもゆっくりと進んでいる。腕時計の秒針も正門をくぐった途端に遅くなるのではないだろうか。

竜巻ですら、学生の前髪を軽く揺らす程度の風に変わるのか。私立大学の高い学費は、学問を学ぶためではなく四年間という自由かつ穏やかな時間を買うためにあるのかもしれない。

「こにっしゃーん!」

背後から突然声をかけられ、低い悲鳴を上げてしまった。

「びっくりさせて、ごめんねん。何してるんやねん? 一限目、なんの授業やったかいね?

とりあえず一緒に行こうねん」

「もー、びっくりしたわー。ごめんごめん、ちょっと用事があって」

「なんのねん?」

うまく返事をできる自信がなく、「いいから、いいから」と適当に追い払った。男としての直感みたいなものがないのか? と少しだけ苛立った。

「なんねんー。じゃーねん」

やたらと長い肩紐《かたひも》をたすきがけした山根は歩く度に膝裏を鞄がノックしていた。

やはり異性の話はできそうにない。

関大前通りに目をやると、サクラが〈プーケ〉の前で学生に触られて軽く尻尾を振っていた。常連客ではない。

突然、その学生から離れ、尻尾を激しく振って、駆け出すサクラ。

その先には細身の濃いデニムを穿《は》き、水色と白のストライプのシャツを着て、真っ白のトートバッグを肩にかけたお団子頭。彼女はかがんで両手を広げてサクラの名前を呼んだ。そして、胸に飛び込んでくる大型犬を受け止めた。

「どぉーほ」

驚きを隠すために息を吐くと、変な声がついてきた。

誰かに聞かれたか不安になり、その場で一周見渡して、辺りを確認した。誰の目線もこちらには向いていなかった。

「よーしよしよしよしよし」

僅かに聞こえてくる彼女の声は、顔と調和していた。撫でられているサクラは尻尾をさらに激しく振った。

常連客？　と考えながら彼女に向かって、一歩踏み出した。そんなつもりはなかった。見かけるだけでよかった。しかし足は自然と一歩進んだ。さらに一歩。また一歩。彼女までの距離は縮まっていく。

軽く咳《せき》払いをして、痰《たん》の引っかかりを気にする。

あっという間に、犬と戯《たわむ》れる後ろ姿が、目の前にある。

そして僕は真後ろを素通りした。

サクラの目に彼女が反射していないか覗《のぞ》き込んだが、見えるはずがなかった。

そのまま歩き進みしばらくしてから踵《きびす》を返し、再び彼女に向かう。

朝日を浴びたサクラの毛並みが柔らかそう。

咳払いをする。喉に違和感はない。

手が届く場所に彼女の肩がある。

それを見つめながら、再び素通りした。

耳たぶの裏側が見えて、日射しを浴びたことがなさそうな皮膚の白さが眩《まぶ》しかった。そこをぼんやりと眺めたくなったが、そのまま振り返ることなく直進し、正門をくぐり、日傘をさす。僕の影が彼女に触れることもなかった。振り返りたくなる気持ちを抑えて、法文坂を全速力で駆け上がった。日傘が風の抵抗を受けて邪魔だった。

上りきると、予想外の激しい息切れに、高校時代に比べて体力が落ちたことを痛感した。何度も深呼吸をして呼吸を整える。落ち着くと、今度は法文坂を駆け下りた。途中、彼女とすれ違った。日傘をさして全速力で駆け下りる男が視界に入っているに違いない。そう思うと、歩幅が狂って転倒しそうになったが、身体にある全ての力を使って、持ちこたえた。

正門を出ても同じ速度で走り続け、僕はそのまま家に帰ってしまった。

薄いピンク色の扉が心を落ち着かせてくれる。部屋に入り、すぐにジャージに着替え、普段やりもしないジョギングをすることにした。一時限目は欠席する。

本来、彼女に声をかけるために使うはずだった力が有り余っていた。それを発散したかった。自分の度胸が微々たるせいで、大学を卒業するまでに彼女と友好関係を築けそうにないことに焦《じ》れていた。

先週、初めて彼女を見かけたことを考えると新入生か。新入生の見分け方を山根は「カバンが真新しいと、新入生ねん。部活とかサークルの勧誘するねん人は、カバンを見てねん、判断するらしいねん。大学入学するときねん、カバンを絶対に買うねん。こにっしゃんも買ったやろねん？　わしも買ったねん」と教えてくれた。彼女の鞄を細部まで思い出せなかった。

住宅街を走った。すぐに汗が吹き出す。

高校時代のように余裕を持っては走れなかったが、ジョギングを終えると、疲れが考え事に覆いかぶさり爽快な気持ちになった。

このまま大学を休もうとしたが、山根の身になると一人で昼休みを過ごさせるわけにはいかないと、昼休みから登校した。

食堂前で待っていると、笑顔でこちらに向かってくる。それを確認すると日傘を閉じる。今日は無地のオレンジ色のやたらと大きいパーカーでフードの部分は薄い緑。妙なツートンカラー。いつものベージュチノパン、足元は5月にもかかわらずビーチサンダルを履いていた。相変わらず独自性に溢れている。隣にいる無地のグレーTシャツ一枚の僕のせいでより際立つ。

「おまんたせー」

くだらない挨拶をしてくる。

食堂に入り、辺りを見回す。

空いている席にそれぞれの鞄だけを置いて、僕らが大好きなタルタルチキンカツの食券を買い、お盆を取り、食堂のおばちゃんに渡す。おばちゃんは包丁で一瞬にしてチキンカツを四等分し皿に乗せる。タルタルソースをチキンカツの下半分にたっぷりとかけ、最後に千切りキャベツを端に乗せる。たった5秒の神業。

「おばちゃん！　タルタルソース多めでたのんますねん」

山根の口調は毎度、馴《な》れ馴れしい。

「またあんたかいな。おっけー。多めね」

追加でタルタルソースをかけてくれる。

「いい量だ。ありがとんねん」

僕はいつも普通の量。そして、そのまま隣のおばちゃんがご飯と味噌汁をお盆の手前に置いてくれる。これでタルタルチキンカツ定食の出来上がり。

山根は元気良く、タルタルソースがたっぷりかかったチキンカツにかぶりついた。

「うんめー！　うまかー！」

口周りにたっぷりとついたタルタルソースを指摘すると、大笑いし、口から衣の欠片《かけら》が飛び出して床に落ちた。

「きったな」

山根は常に笑っているように見えるが、何にでも笑う奴ではない。

一年の頃、同じ授業を履修していた。

教室には200人近くの学生がいて、70歳近い男性教授が教壇に上がる際に躓いた。すると、学生たちは小さく笑った。吐く息に声を添える程度だった笑い声は集積することにより、重みのある笑い声に変わった。横にいた山根は笑うことなく、眉尻を下げて心配そうな顔をしていた。

それを見た瞬間、すぐに口角を下げた。一緒に笑ってしまった自分を恥じて、打ち明けた。

「おれ、今、笑ってもうた。これって心配しないとアカンことよな。笑ったらアカンかったな」

「こにっしゃん、本当に正直者ねん。こにっしゃん、ええ奴ねん」

「いやいや、今ので笑ったらええ奴ちゃうわ」

「こにっしゃん、ええ奴ねん。今のはやっぱり、笑えないやつねん。笑ったらダメねん。面白いと思ったらアカンねん。転《こ》けたねん。ケガしてたかもしれないねん」

笑えるモノ、笑えないモノ、笑ってはダメなモノ、これらの区別ができていた大学唯一の友達が頼もしかった。反対に、山根の唯一の友達が平凡な僕であることが申し訳なかった。

しかし教壇に上がった教授はこう言った。

「えー。転けてしまいました。すみません。でも皆さんが笑ってくれたおかげで、気持ちは助かりました。ありがとう」

直後、僕らは大笑いせずにはいられなかった。教授への思いやりは一方的で空回りしていた。周りの学生が「あいつら何がおもろいねん」という顔を向けてきたので、うつむいて肩を揺らして必死で笑いを堪《こら》えた。一方、山根は関係なく口を大きく開けて笑い続け、心憎い奴だなと思った。

果たして、この男の魅力に気付く女性が関大にいるのだろうか。

昼休みが終わり、三時限目は〈超越論哲学〉。単位を取ることだけが目的。哲学の超越論は意味不明だった。

大教室を見渡しながら、いつも通り扉に近い席に向かう。

視線が一点に止まった。一人ざる蕎麦女がいた。

出そうになる声を抑えて、席につく。背もたれに違和感を覚える。確認すると、リュックを背負ったまま座っていた。

授業が終わる数分前から教科書をリュックにしまう準備をした。一年前に買った黒無地リュックは少しくたびれていた。

まとめの言葉を並べ始める教授。

チャイムが鳴った。

教授が「ではまた来週」と言いきる前に、彼女は立ち上がり、出口に向かった。やはり早い。

開き戸の取っ手を摑む。取っ手の上には〈引〉とある。

しかしまた押した。首をかしげながら一人で苦笑いしている。目の下になめらかなシワを浮かび上がらせて。

そして、澄ました顔に戻り、ドアを正しく引いて、出ていった。その表情と釣り合わない大きなお団子頭。照っているのに雨が降る、天気雨のようだった。

右手に持つトートバッグは真っ白だが、キャンバス地がくたびれていて、真新しさは感じなかった。同じ学年かもしれない。だが、去年見かけたことは一度もない。

追いかけるようにすぐに教室を出た。思いの外、遠くに行った彼女を振り向かせるつもりで立てた大袈裟な足音は、5月の柔らかい日射しに溶けて無意味だった。

早歩きで、「自分の進行方向に偶然彼女がいる」という勝手な言い訳を頼りに、あとを追う。

誰かに見られているわけではない。

いつも意味もなく自分に言い訳を作る。

小学五年の運動会。

クラス対抗リレーで第4走者を任された。1着でバトンを受け取り、あとはアンカーに繋ぐだけだった。しかし背後から近づいてくる足音。このままでは抜かれると思い、わざと転けた。

結果、クラスは2着。足が遅いから抜かれたのではなく、転けたから抜かれたという言い訳を作った。その後、クラスメイトにリレーで転けた奴として笑われた。誰一人、足が遅くて抜かれたとは思っていなかった。転けて抜かれるより、足が遅くて抜かれる方が格好悪い。

当然、罪悪感はあったが誰にも真実は知られなかった。運動会を見に来ていた両親にも「転けたなー。気にするな」と言われたが、祖母にだけは見透かされていて、その夜、家でこっそりと耳打ちされた。

「わざと転けたね。本気で走って抜かれた方が、抜いていく子がカッコ良かったのに。自分を主人公と思ったらアカン。あの瞬間の主人公はあの子」

僕は図星をさされ、行きたくもないトイレに行って、便器に座っていた。しばらくしてトイレから出ると祖母が目の前に立っていた。

「うわっ。びっくりした」

「抜かれたら恥ずかしかったの?」

鋭い祖母に何も言えずにいると、僕の頭を撫でながら優しく言った。

「恥ずかしいときは、自分を他人と思いなさい。すると、これっぽっちも恥ずかしくないから」

祖母の手は僕の罪悪感を全て吸い取るように頭を包み込んでくれた。その瞬間は世界中の誰とでも戦える気がした。

前を歩くお団子頭を眺めながら足を止めた。遠のいていく後ろ姿。進行方向を変え、祖母からもらったいつもの日傘をさした。そしてキャンパスに溶け込んだ。

大学が終わり、正門を出て、真正面から向かってくる西日の圧力を感じながら〈プーケ〉前にいたサクラの元に駆け寄った。サクラは全てを知っている。一人ざる蕎麦女が何者なのか。サクラを通して僕と彼女は繫がっている。ほど遠い存在ではないはず。

夜は〈めめ湯〉のバイト。薄ら寒く、長袖シャツを一枚はおる。

「はい、おはよー、そして、こんばんは。週始まりの月曜日なのに面倒やろ。おおきにです」

番台で佐々木さんがいつもの挨拶と気遣いの言葉をくれる。さっちゃんはすでに来ていて、ズボンの裾を捲《まく》っていた。

「そういえば、おまはん、〈めめ湯〉の名前の由来を気にしてたやろ?」

関心が薄そうだった佐々木さんが覚えていたことが意外だった。

「実はやなー、ばあさんに聞いてみたんや。昔のことやけど、よう知ってたで。初代の主人が銭湯をやるか、やらないかを迷ってて嫁はんに相談したらしいんやわ」

「佐々木さん、それって100年くらい前の話ですよね」

遠い昔のことすぎて作り話のよう。

「そうやでー。ここは100年続いてる歴史ある銭湯やで。建物は工事しまくって、跡形もないらしいけどな」

興味を持ったさっちゃんも近づいてくる。

「ほんでなー、主人が迷ってる姿を見て、嫁はんが、女々しいな！　って怒鳴ったらしいわ。これが由来やとさ」

「やっぱりそうなんや！　さっちゃん、おれ言うてたよな?」

さっちゃんは呆《あき》れるように何度も頷《うなず》いた。

「まぁそうゆうこっちゃ。諸説あり、らしいけど。100年前やから、女々しいって言葉があるかも知らんくらいやで。ほな、お二人さん、あとはよろしく、鍵もよろしく」

佐々木さんがあっという間に帰ると、さっちゃんが言った。

「100年前の欠片が名前に残ってるって素敵やな。私の欠片もどこかにあるかな。私たちがバイトしているここにも。私の何かがどこかにへばりついてるとええな」

「さっちゃんの欠片か……なんかええな」

思いを馳せて、上を見る。

「いや、天井やん！　見上げるやつって外で、空を見上げんと！　ほんでセンチメンタルになってるやん。私はわざと臭いこと言っただけやし」

鋭いツッコミに笑ってしまい、照れを誤魔化すように、粉石鹸をタイルに撒いて、いつもの調子で清掃を進めた。

「小西くんさー、スピッツの歌、聴いた？」

突然の問いに首をかしげる。

「私が好きな世界一の前奏やん」

さっちゃんの声が男風呂内にやたらと響いた。

「あー！　タイトルなんやったっけ？」

「『初恋クレイジー』やん」

「あっそーや！　聴いとく聴いとく！　世界一の前奏やろ」

苦笑いしながら答えると、さっちゃんはホースの水を僕の足元に目がけて飛ばしてきた。それを軽やかに避けると、悔しがりながら舌を少しだけ出したさっちゃん。それが苺《いちご》の先だけを口から出しているように見えた。

「私たまに思うんやけど、小西くんって、何考えてるかわからんよな」

「うーん、それ、たまに言われるわ。これでも色々考えてるけどな。さっちゃんはわかりやすいよな。考えてること全部が表面に出てる感じ。友達の山根みたい。いつも言ってる唯一の友達な」

再び、水をかけてくる。しかし今度は避けられず盛大にかかってしまった。

いつもの調子で、2時間ほどで作業を終わらせ、外に出る。数ヶ月前は冬だったことを感じさせる、肌寒い5月の夜。

昼間の気温にだまされて、Tシャツ姿のさっちゃんが夜の住宅街に浮き彫りになった。

佐々木さん宅の空っぽのポストに鍵を入れると、相変わらず、金属音が鳴り響く。

「さっちゃん、どうにかしてや。この音、ほんまうるさいわ」

「女々しいこと言うな」

笑い合って、互いに手を振り、別れた。

金曜日、二時限目の〈社会心理学〉に向かう。

意志の弱そうな薄い雲が空を覆っている。

目の前を行き交う学生たち。関西大学には3万人以上の学生がいる。同じ大学に通いながら、一度もすれ違うことなく卒業していく学生がいると思うと、可笑《おか》しかった。

法文坂を上る足取りが軽いのはジョギングを続けている成果と、〈社会心理学〉に一人ざる蕎麦女がいるから。

大教室にはすでに多くの学生がいた。ひとまず、いつも通り、空いていた扉近くの席に座ろうとしたがやめた。前方に見慣れたお団子頭が見えたからだ。

一人ざる蕎麦女を見かける度に、打ち上げ花火を近くで見たときのような衝撃が胸に響く。彼女の変わらない佇《たたず》まい。後ろ姿から伝わる、一人でいることへの誇り。不安は皆無。

三人が座れる長机の左端に鞄を置き、真ん中に座っている。右端には誰もいない。祖母に頭を撫でられた感触を思い出し、身体に力を入れる。クッションがあれば抱き締めていた。逃がすことのできない有り余った力は、僕を彼女が座る席に向かわせた。

大勢の学生がいるおかげで、隣に座ることに違和感はない。つとめて自然に、右隣に腰を下ろした。リュックは床に置く。

チャイムが鳴った。

〈社会心理学〉の教授が入ってくると、騒がしかった大教室が静かになる。しばらくするとあちらこちらで雑談が始まる。注意することなく教授は話し続ける。随所で板書もする。

この教授は学生に対して特に甘い。我々の気持ちを理解しているのか、諦めているだけなのか。

初めての授業で教授は言い放った。

「学ぶ人は学ぶ。学ばない人は学ばない。なぜなら履修する全ての講義に興味を持てるわけがないからです。でも卒業するためには単位は必要です。私はテストを行いません。出席率が8割以上なら単位を差し上げます。友達に代理で出席カードを出してもらっても構いません。もう一度言います。学ぶ人は学ぶ。学ばない人は学ばない。では一年間よろしくお願い致します」

僕は、あやまって拍手をしそうになった。

真横にいる彼女がノートに黒板を写す素振りはない。彼女もまた出席カードを出すことだけが目的か。

すでに出席カードには学籍番号と氏名を書いて、机の上に置いている。

桜田花《さくらだはな》。2年。

それを記憶し、自分の名前を大きめに書いた出席カードを置いた。小太鼓を叩き続けているような胸の鼓動。

しばらくそのまま過ごしたが、桜田さんの視線はわからない。僕の出席カードに向いてもおかしくはないが、記憶するとは限らない。万が一、記憶してくれたとしても、どうにもならない。

わざとらしく首を回して横を見た。

化粧をしていないというべきか、する必要がないというべきか、化粧をすることが裏目に出るような肌。

控え目な耳たぶ。

お団子にまとまりきらなかった耳にかかる髪の毛。

彼女に触れてはいけないという現実が疎ましかった。

今夜から眠りにつく前、真っ暗な部屋の天井をスクリーン代わりに、この人を映し出す日々が続くかもしれない。

僕は我を失いかけている。

一方の彼女は、退屈そうに教科書をぱらぱらとめくっている。

それほど退屈しているのであれば任務を与えるべきかもしれない。得意の言い訳を作る僕。

さらに、自分を他人と思いながら、詫《わ》びる表情をして、声をかける。

「……す……みま……せん」

痰が絡まっている上に、震えている声。唇の動きと発声にずれが生じている。

口から音を発しただけ。

彼女は表情を変えず、こちらを向いた。

目が合う。

あからさまにのけ反ってしまう。

戦車と一輪車が正面衝突するほどの目力《めぢから》の差。

黒目は大きく、そこには僕が映っているに違いない。

心臓のポンプ機能が限界を超えている。

胸を小太鼓のばちで叩かれている感覚。

「え？」

無論、聞き取ることができなかった様子。

目が合ったまま、深呼吸をする。鼻から大きく息を吸い、口から吐き出した。

しかし、厄介なことに、吐き出した息は彼女の顔に当たり、前髪を揺らし、両目を瞑《つぶ》らせた。

見知らぬ学生に息を吹きかけられ不快だろう。

「すみません」

呼びかけだったはずの二度目の「すみません」は謝罪へと切り替わり、無事に耳に届いた。

「いえいえ、大丈夫ですよ」

口から真っ直ぐ聞こえてくる声は、天日干しされたように柔らかく、なめらかで、僕に落ち着きを取り戻させてくれた。

「あのー、急用があって帰らないといけなくて、出席カード、代わりに出しといてもらってもいいですか？」

「え？　あ、はーい」

あまりにも軽い返事に、返す言葉がない。拍子抜けした。

自分だけ険しい表情になってしまっているような気がして、顔を隠すようにうつむく。

そのまま長机の上で、出席カードを右手で滑らせて、彼女の手元に移動させた。

再び目を合わせる自信はなく、うつむいたまま会釈をすると、長机に額をぶつけてしまった。

一連の行動に、じくじたる思いでいっぱいになる。

自分に呆れ、顔を上げると、彼女は微笑《ほほえ》んでいた。

目の下のなめらかなシワ。指でなぞりたい。

その場から逃げるように、改めて会釈をして、目立たぬように身をかがめて、大教室を出た。

軟弱な足取りで芝生広場のベンチにたどり着く。息切れとは違う、呼吸の乱れ。

助けを求めるように山根に電話をする。授業中にもかかわらず電話に出てくれる。さらに、食堂に誘うと授業を抜け出して来てくれた。

遠くからやってくる山根。

赤、青、緑、黄、黒、白、6色の細い幅のボーダーロンT。疲れ果てた僕には眩しすぎる。

「おまんたせー！　授業中に珍しいねんなん」

「おぅ。授業抜け出してくれてありがとうな」

何事もなかったように振る舞う。

「あれ⁉　こにっしゃん、日傘さしてなかったやねん」

「え⁉　ほんまや……」

キャンパス内を一人で日傘なしで歩いたのは、およそ一年ぶりだった。

日傘もリュックの中で驚いていたかもしれない。

昼休み前の食堂は学生が少なかった。

いつも通りタルタルチキンカツ定食。山根はソース多め。6色の細い幅のボーダーに、目を細める。どこに売っているのだろう。

「うんまかー！　こにっしゃんと食うからねん、余計に美味《うま》いやねん」

感情を前面に出せることが羨ましかった。尻尾を振る犬みたいだ。対して僕はこっそりと山根のファッションチェックをして笑っている。まるで自分は〈ジャポネーゼ〉に並ぶに値する学生だ！　という立ち位置で。そんなはずはないのに。

「山根ってどこで服買ってるん？」

「大分で買うやねん。実家に帰ったときにいつも行くやねん」

「一人で買いに行ってんの？」

「いや、彼女と行くねん」

「彼女？　どうゆうこと？」

「わし、彼女おりまっせ」

「……おぉぅっがぁ」

息が飛び出し、腹が凹《へこ》み、突然殴られたような声が出た。口の中のまだ嚙《か》み砕いていないチキンカツが出ないように、無理矢理飲み込む。衣が食道を通過するのがわかる。痛い。

「うそつけ」

弱々しく言うと、携帯のフォルダにある写真を次々と見せてきた。坊主頭とは釣り合わないほど清楚《せいそ》な女性とのツーショット。どれも女性が手を伸ばして、自撮りをしている。別府《べっぷ》温泉で撮った写真。部屋で撮った写真。公園で撮った写真。背景が変わっても、二人は変わらない。当たり前のことが力強く見えた。

自分は女性とこんな関係を築けたことがあるだろうか。

高校のときに一年間付き合った同級生と、大学入学後に10日だけ付き合った先輩。そもそも僕はどれほどの思いを持っていただろうか。

高校時代の彼女には「前までなんにも思ってなかったけど、突然好きになったから付き合って欲しい」と告白された。遊園地、映画館、水族館、ショッピングモール、様々なところに行った。初めての彼女に浮かれた。「この子がとてつもなく好きだ！　色々なところに行きたい！」と思ったが一年後、「もう別れよう。勉強もできないし」と苦情のように言われた。

とても寂しくて、悲しかった。

ただ、今となっては静電気の痛みと同じだったなと思う。瞬間の痛み。電気を通す者同士が出会い、親密になり近づき、電気が発生する。それで咄嗟《とっさ》に離れる者もいれば、乗り越えて触れ合える者もいる。僕たちは静電気の痛みで離れただけのこと。

無情にも10日だけ付き合った先輩とは静電気すら発生しなかった。

「ミキちゃん。わしの彼女ねん。去年の夏休みから付き合ってるねん。大分にいるから休みのときしか会えないけどねん。この写真たちは春休みねん」

喉の奥が衣で傷ついたのか、違和感が残っている。

「こんな可愛い子がなんで?」

「わしがミキちゃんを好きになってん。ツレのツレやったねん。で、夏休み、実家に帰ってる期間内に告白すると決めてたねん。二人で何回か遊んだねん。で、わしが大阪に帰らないとあきまへんちょぃと前に、わしの実家に遊びに来ることになったねん」

山根の声は、いつもより艶《つや》があった。

「実家の近くの公園で、わし、『ミキちゃんのこと親になんて紹介したらええ?』って聞いたら、『友達でええんじゃないの?』って。そこでわし、すかさず、『彼女になってくれ。ミキちゃん大好きなんよ』って言うたねん」

山根が少しだけ顔を赤らめた。

「そしたら、ミキちゃんが黙ったから、ミスったーって思ったねん。でもすぐに『ほんまに好き?』って聞かれたから、『大好きやー!』って大声で言うたねん。わし、語彙力ないねんから、好きの気持ちを声量でしか伝えられないねん。ほなねん、近所の犬が吠えたねん。その瞬間、わしら爆笑したんねん」

山根が口を大きく開けて笑ったせいで、口の中が丸見えになった。口の中はタルタルチキンカツを食べているとは思えないほど綺麗《きれい》だった。

「そしたら『彼女になりたいー』って言うてくれたねん。犬が吠えて、同時に笑ったから、わしとやったら楽しいかもって思ってくれたらしいねん」

「おい、山根！　なんで彼女のこと隠してたん？」

「言うたらアカンかなって思ってたねん。気を遣ってたねん」

「なんのやねん。でも言いたくなるやろ？」

「ならんねん。ミキちゃんの話をしたら会いたくなるねん。でも大分県にいるねん。ここ大阪ねん」

あれ？　コイツこんなに鼻高かった？　こんなに長くて細い指してた？　ん？　目、奥二重？　おでこがとてつもなくなめらか……。別人か？　気のせいであってくれ……。

タルタルチキンカツに食らいついている彼に、言葉をかける。

「華やかでいいじゃないかー！」

強がった僕の言葉。それに反応し顔を向けた彼は、何も言わずに笑顔を見せ、また食事に夢中になった。

本心は、悔しかった。男として完敗していた。

自分の知らないところで、大学唯一の友達が恋愛をしていた。意外すぎる一面。しかし、山根の真の魅力を知れば、当然な一面だった。

授業を全て終えて帰宅し、ジャージに着替え、ジョギングに出る。

〈プーケ〉に寄ると、サクラがいて、撫でると、尻尾をひと振りだけしてくれた。そろそろシャンプーをしたくなるような香ばしい匂いが湯気のように立ち込めた。

そのまま薄暗い住宅街を走る。

ジョギングを始めて間もないが、高校時代の体力に近づいている。全力ではなくほど良いペースなら、疲労を感じない。それと引き換えに、走りながら退屈するようになった。「しんどい」や「疲れた」と感じることは一種の作業で、それがなくなると走っているにも拘わらず暇になる。

退屈しのぎに、走りながら道沿いの一軒家の表札を見る。

橋田。玉城。橘。無限に名前がある。〈桜田〉が出てくるまで真っ直ぐ進もう。いや、そんな都合のいいことはないか。

石丸。田中。佐原。野口。木村。山根……山根⁉　あいつはやっぱりすごい。

〈桜田〉が出てくるとは思えない。結局、右に曲がる。

立石。湯浅。井ノ上。井上ではなくて、井ノ上。珍しい。会話の入口としてはいい。

井ノ上「僕は漢字二文字の井上ではなく、三文字の井ノ上で、〈ノ〉が入るんですよ」

相手「へぇ。ひらがなの〈え〉みたいな漢字の〈之〉ですか？」

井ノ上「いえ、カタカナの〈ノ〉の、〈ノ〉の字です」

相手「おっ今〈の〉って4つ並びましたね」

井ノ上「え、カタカナのノのノの字……5つだ」

二人「（笑う）」

これくらいのひと盛り上がりはありそうだ。

小西徹。僕の名前も何か特徴があれば、会話のきっかけになって、友達作りに役立っていたかもしれない。

適当に2時間ほど走ると知らない場所にたどり着いた。真っ暗。線路を見つけ、たどってみると、阪急関大前駅から5駅も離れている崇禅寺《そうぜんじ》駅。

走り過ぎた。

自分の足で帰る気力はなく喉が渇いたときのために用意していた200円で切符を買い、電車に乗った。汗まみれのジャージで電車に乗ることは気が引けたが、それ以上に疲れていた。

思いの外、電車は空いていて、ドア際に立つことができ、人様に迷惑をかけることはなかった。

窓に反射する自分が少しだけ痩せたように見える。ジャージの袖にサクラの毛がついていた。

家に着き、水をがぶ飲みして、シャワーを浴び、洗濯機を回し、終わるまでベッドで寝転ぶ。

無地で真っ白と思っていた天井。よく見ると、水面が揺れているような模様。小さな発見をした。

それだけのことに心が躍った。

どれほど寝転んでいたのだろう。

洗濯機の方から音が聞こえてきた。いつもと違う音。なぜだろう。瞼《まぶた》が重い。寝ていた。

洗濯機の音にしては長い。違う。携帯が鳴っている。咄嗟に出る。

「……はい、もしもし」

「……やっと出た……良かった……大丈夫？　生きてる？」

さっちゃんの声。

「え？」

「何してんの⁉　寝ぼけてんの？　今日、バイト入ってたやろ？　もう1時やで。夜の」

「え？」

時計を見ると、深夜1時。

「……あれ？　すぐ行きます」

かすれた声を出して、電話を切る。

いつの間に寝ていたのだろう。立ち上がり、洗濯機を開けると、とっくに終わっていた様子。洗濯はやり直しか。ゴミ取りネットが膨れてきている。そろそろ埃《ほこり》を取り出さないと。いや、こんなことをしている場合ではない。まだ寝ぼけているのか？　ようやく焦点が合う。

急いで〈めめ湯〉に向かった。

扉を開けて開口一番に謝る。

「さっちゃん！　ごめん！」

「何してん⁉　寝癖すご！　寝起きの顔やん！　むくんでもうてるやん。遅刻なんて初めてやろ？」

「うん。初めて。とはいえ、ごめん。寝てました……！」

「最初、佐々木さん電話して、小西くん出ないから、『まぁええわ、さっちゃん頼んだ』って言って帰ったで。私、一人でやっとったで。こんなん一人体制のお金もらわな納得いかんわ」

佐々木さんからの電話も気付かなかった。着信履歴をちゃんと確認する余裕もなかった。

「おれのバイト代渡す！　佐々木さんに言うとく」

「うそうそっ。ええよええよ」

「じゃ、いつかご飯、ご馳走します」

「よし。それで決着つけよか」

何度も謝り、いつもより要領よく迅速に働いた。

清掃を終えたときには、深夜3時前になっていた。

佐々木さん宅のポストに鍵を入れるといつもの金属音が鳴る。

「さっちゃん、今日はほんまごめん」

「何回、謝るねん、もうええっちゅうねん。謝られながらバイトするより、いつもみたいに無駄話しながらの方が楽しいのに。小西くん、今日ずっと無口で、喋ったと思ったら謝ってきてさー。謝罪の回数と謝罪の大きさは比例せえへんで。楽しませてくれた回数なら比例すると思うわー」

「あー、ごもっとも」

「遅刻したことはもうええから、忘れようや。あっ、ご飯の約束は忘れてへんで」

「もちろん。あっ、言おうとしてたんやけど、おれが来るまで一人でやっててくれてたんよな？　そのわりに全然進んでなかったたな」

「うっさい！　偉そうに言うな！　生意気を言うの早いぞ」

街灯がさっちゃんの顔を照らした。

「しーっ。近所迷惑なるで」

「小西くんのせいやん。ラストに一気に楽しませてくれたやん。ありがとう」

「どういたしまして」

「なんか偉そうやな」

僕らは声をおさえて、笑った。

第二章

緑雨

月曜日は朝から、一日降り続ける意志を感じさせる強気な雨が降っていた。

空は、使い古した雑巾と同じ色。それでも晴れの日と同じ気持ちでいられるのは、祖母の「今日の空が一番好き!」が心に生き続けているから。

雨の日は自分のルールがいくつかある。

まず、VANSの黒のスリッポンを履くこと。濡れたり、汚れたりしても目立たないから。

次に、アニマル柄の傘をさすこと。これは祖母が使っていたもの。

「人間の老いってのは、首のシワ、手の甲のシミ、ほんで傘の趣味に表れる。だから、若いセンスの傘を使うの。シワとシミは諦める」

祖母独自の考えを聞くのも好きだった。

サイ、象、カバ、ゴリラ、馬のシルエットだけを緑と深緑と薄緑で施しているので、一見、迷彩柄だが実はアニマル柄。この不思議なセンスの傘を気に入っていて、祖母が亡くなったときから、勝手に使っていた。さらにこの傘をさす際、チェックのシャツを着てしまうと柄だらけの印象になる。だからシンプルな服を着る。白シャツに細身の黒パンツ。

最後は可能な限り濡れないルートで登校すること。靴を絶対に濡らしたくない。靴の先が濡れるだけで一日、足元が不快になる。

いつものルートに屋根はない。だから雨の日は遠回りだが別ルートで登校する。校舎の中や、何本もの大きな木でできた天然の屋根がある道を通る。

こんな小さなこだわりの一つ一つが、友達作りの邪魔をしている。もっと大雑把になれたら、楽にキャンパスライフを過ごせたと思う。

濡れないルートは正門を通らない。まずは学生専用の駐輪場の横から、経済学部、商学部の校舎に入り、通り抜ける。そして自然の屋根、大木の下をアニマル柄の傘をさして歩く。さらに、靴を濡らさないためにつま先立ちをしたまま歩く。そのまま生協まで行き、中には入らず、壁伝いで歩く。そこには小さな屋根があるので傘は閉じる。

学生はいない。僕だけの道。

しかし背後から足音が聞こえる。

立ち止まり、振り向くと、屋根があるにも拘《かか》わらず青い傘をさして、こちらに向かってくる学生がいた。顔は見えない。カーキ色の長靴。

明らかに僕よりも足元が濡れることを警戒している。

何かの弾みで傘が少し上がる。

少しうつむいていてもわかる真っ直《す》ぐな前髪。足元を入念に見ている目。頭頂部に存在する大きなお団子はこちらを向いている。桜田《さくらだ》さんだ。

「うぉいも」

雨音に掻《か》き消された僕の声。何を言おうとして出た声なのかは自分でもわからなかった。

急いで、前を向き、逃げるように歩く。

僕だけの道に彼女がいる。この、至って単純な喜びは体内に充満して、皮膚から滲《にじ》み出そうだ。

足音がさっきよりも大きく聞こえるのは、距離が縮まっているせいなのか、それとも雨音を遮断し足音だけを聞こうとしているせいなのか。

先週の金曜日、〈社会心理学〉の出席カードを代わりに出してもらった。お礼を言うべきだ。

しかしこの人気《ひとけ》がない場所で声をかけたら驚かれるだろう。だから声はかけない。いつもの言い訳を作り、壁伝いに歩き続ける。

取るべき行動がわからない。

雨が顔に当たる。生協を通り越していた。急いで傘を広げる。何度か曲がると階段がある。

そこを上がると文学部、法学部の校舎前の広場に着く。

階段手前で立ち止まる。

近づいてくる足音。

彼女は僕の背中を見ているのだろうか。

追い抜いて欲しかった。

自分の背中に自信がない。

祖母は「背中が素敵な男になりなさい」と教えてくれた。


中学一年のある日、近所の商店街で祖母と買い物していた。

前方を歩く、大勢の人たちを見て祖母が呟《つぶや》いた。

「背中がたくさんあるねぇ」

「背中があるって変やん。人がたくさんいるって言いや」

「背中はその人の全てやで。背中は、もはや〈人〉やねん。どれだけ顔を綺麗《きれい》に化粧しても背中だけは化粧できない。背中は一生すっぴん。自分の背中は一生、自分の目で直接見られへん。常に他人から背中を抜き打ちテストされてると思っときや。ほらっ、背中見せてみ」

肩を叩かれた僕は、言われるがまま背中を見せた。

「まだ可愛い男の子の背中やな。早く、背中が素敵な男になりなさい。……でも男の子のままでもいいんやでー。大人にならんといてー。息子の成長は嬉しいけど、孫の成長は寂しいわ」

そう言った祖母は、肩を組んでおどけてきた。


身を潜めるようなキャンパスライフを送る僕の背中。そんなもの、素敵とはほど遠いだろう。

階段の手前で咄嗟《とっさ》にかがみ、靴紐《くつひも》を結ぶ振りをする。

しかしＶＡＮＳのスリッポンに紐はない。ただ靴を触る。

丸めた体は傘で隠れる。アニマル柄は、迷彩柄の役目を果たす。

横を通りすぎる桜田さん。

階段を上る彼女の後ろ姿は時折、傘に隠れる。それでも一人ざる蕎麦《そば》女を彷彿《ほうふつ》させる強さがある。真っ直ぐの背筋がそう感じさせる。

一人ざる蕎麦女は雨の日も強かった。

姿が見えなくなってから、ゆっくりと階段を上った。

広場には傘をさす学生がたくさん行き交っている。

ほとんどがビニール傘。透明。持ち主が見える。キャンパス内を平然と歩ける者だけがビニール傘を使用できるのか。

遠くに青い傘が見えた。持ち主は見えないが、桜田さんだろう。アニマル柄の傘も僕を隠す。日傘もまた然《しか》り。

彼女が青い傘を選んだ真意を聞いてみたくなった。

この後の授業中はひたすらにそんなことを考えていると、教授の言葉は何一つとして耳に入らなかった。

昼休みはいつも通り山根《やまね》と過ごす。

雨の日、食堂はいつもよりも混雑するので行かない。

売店で１００円の〈でっかいカレーパン〉とコーヒー牛乳を買い、空き教室で過ごす。

「大分の彼女とどうなん？」

「ミキちゃんとは毎晩電話してるねん。ミキちゃんへの想いはこのカレーパンくらいでっかいねん」

「そうか、そうか。ってことは１００円の価値か」

「なんでやねんねんー！」

彼には恋人がいる。この事実はすっかり馴染《なじ》んでいた。

「もう次の授業行くわ」

カレーパンを急いで完食して伝える。

山根は昼休みを最後まで一緒に過ごそうとしたが断り、〈超越論哲学〉の授業に向かった。

大教室にはまだ10人程度しかいなかった。

出入口近くの長机の真ん中に座る。扉の取っ手の上に〈引〉のプレートが控え目に貼られている。授業が終わり教室から飛び出す学生たちを、この消極的な〈引〉が制止できるものか。進行方向に身を任せ、押すに違いない。何人もの学生がこの開き戸に進行を妨げられただろう。そして、全責任はこの〈引〉にある。プレートが気まずそうに見える。そして、茶目っ気を醸し出す。

扉には押し開けようとし、つかえて苦笑いした桜田さんの残像がいまだに色濃くあった。

授業が始まる数分前。すでに大勢の学生がいて、騒がしい。

出入口を眺めていると、今朝《けさ》見たばかりの青い傘を畳みながら彼女は現れた。僕はすぐに立ち上がり、手を上げた。

体が小刻みに震える。それでも行動に移せたのは、〈社会心理学〉の出席カードを出してもらったお礼を伝えなければいけないという義務感からだった。立派な言い訳。

こちらに気が付いた桜田さんは後ろを確認して、またこちらを向いた。僕は何度も頷《うなず》き、手招きした。

長机の左端に座り、雨のせいで少し濡れた床にリュックを置いた。少し気が引けたが、この状況なら致し方ない。彼女は不思議そうな顔のまま真ん中に座り、右端の椅子に鞄《かばん》を置いた。

「この前、社会心理学の授業で出席カードを出してもらった者です。小西《こにし》です。偶然見かけたからお礼を言おうと思って」

謝辞を述べるために声をかけている。この言い訳は平常心を保たせてくれる。

合点がいった彼女は大きく頷いた。

「出席カード出してくれて、ありがとうございました」

「いえいえ、どういたしまして」

顔と調和した柔らかい声。

「……どういたしましてって言ってくれてありがとうございます」

「え？　あっはい。どういたしまして」

「……また、ありがとうございます」

彼女が不思議そうな顔をした。

変なことを言ってしまっているのはわかっているが、どうしても伝えたかった。


中学生の頃、食卓で父にお箸を取ってもらった。控え目ではあったが反抗期ということもあり、何も言わずに受け取った。すると父が叱ってきた。

『ありがとう』は？　ちゃんと言いなさい」

「……ありがとう」

無視する度胸はなく、すぐに頭を下げて、お礼を言った。

「はい。じゃ食べようか。いただきまーす」

その様子を見ていた祖母が、淡々と語り始めた。

『ありがとう』は大切。それ以上に大切なのは『どういたしまして』ですよ。二つで一つの言葉」

僕は少しだけほくそ笑んだ。そして、父は申し訳なさそうに呟いた。

「……どういたしまして」

それ以来、「どういたしまして」は僕の中で特別な言葉となった。

彼女はそのまま何も言わず前を向いたので、僕も教壇に顔を向けた。

あっという間に全てを絞り出した僕には、これ以上、何もなかった。何度も絞られた雑巾のようにくたびれていた。

現時点での僕らの関係性では、今の会話が全てであり、もう何も残っておらず、前を向くことしかできなかった。言い訳はもうない。

「私、あのとき、大教室で誰かと隣り合って座ったのは初めてやったんです。2年目にして」

鼓膜を震わせるというよりも触れてくるような声。

強がってみると、ただ真横に座っている間合いをもう少し堪能《たんのう》したかった。本音としては、彼女から話題を提供してくれるとは微塵《みじん》も考えていなかったので、大満足だった。

返事を待っている顔。当然、二人の会話は相手が話し終わると、自分の番になる。

しかし、彼女の言葉を思い出せない。話しかけられたという事実が勝り、脳には伝わっていなかった。

チャイムが鳴った。

「チャイムってうるさくない?」

自分の口から出た予期せぬ言葉。その上、敬語を使っていない。処理できない感情を逃がすように、靴の中で親指を丸めた。

「大きい音ですね」

即答されたことで、発してしまった言葉は間違っていなかったと、足を緩めた。

「2年目？　初めて？」

今さら、脳に伝わり、返事をする。

「隣に座られたことがなかったんです」

「ごめん」

思わず、謝る。

「そうゆうつもりで言ってないんで」

彼女が少しだけ口角《こうかく》を上げると、目の下になめらかなシワができた。思わず指でなぞってしまいそうになる。

「学校のチャイムって、家の中で聞いたらどれくらいうるさいんやろ。どう思いますか？　音って、大きすぎると怖いですよね」

彼女が視線を外し、前を向きながら聞いてきた。それにより先ほどまでは目が合っていたことに気が付いた。

この形式ばらない会話がありのままの姿なら、彼女の大学での孤立が理解できた。

「確かに、大きすぎる音は怖い。そもそも大きすぎるものは怖い……野望とか夢とか」

食らいつくように返事をしたが、彼女は首をかしげて何も言わなかった。

意気込みすぎた僕の言葉は行き場を失い、宙をさまよった。

それを打ち消すように彼女が言った。

「……大きすぎる音は怖いんですよ。つかぬことをお聞きしますが、家のテレビを最大音量にしたことありますか？」

「ない。でも小さいときにふざけて上げたことはある。で、親に怒られた」

対等でありたいと思う気持ちから、彼女の理解しがたい質問に、平然と答える。

いつの間にか教授が来て〈超越論哲学〉の授業を始めていた。前方の学生だけが熱心に聞き入り、中ほどより後方の学生たちはあちらこちらで雑談を繰り広げていた。

「私、家のテレビを最大音量にしようとしたことあるんですけど、いつも怖すぎて断念するんです。いまだに一度も達したことがなくて。初めて挑戦したのが小学校低学年のとき。一個下の妹と、親がいないときにチャレンジしました。途中からめっちゃうるさくて怖いんです。だから毛布にくるまって、隙間からリモコンを出して、音量上げるんです。そしたら音がどんどん大きくなって、でも目盛りを見たらまだ半分ちょっとなんですよ」

彼女は大学生活を誰とも話してこなかったのか、吐き出すように喋《しゃべ》った。

「妹はすぐ飽きたんですけど、私は今もこっそり色々な方法でチャレンジしてます。例えば庭に出て窓を少しだけ開けて、リモコンで音量上げたり。耳栓《みみせん》したり。この前も一人でやりましたよ。ヘッドホンで音楽聴きながら挑戦したんです。ヘッドホン作戦はいいと思うでしょ？」

頷くことしかできない。

彼女は馴染みある単語だけで普通ではない話をしている。

ありふれた食材だけで珍しい料理を振る舞うように。

祖母がたまに作ってくれた、梅と黒豆を砂糖で煮ただけの単純な料理があった。僕はそれが大好きだった。祖母が亡くなってから、母が一度作ってくれた。しかし全く違う味だった。祖母の味は祖母だけが知っていた。もしかすると砂糖以外に何か入っていたのかもしれない。料理の手順はよくわからないが、ほんの15分くらいで作るのだ。

甘い梅と甘い黒豆で白米がとにかく進む。黒豆を勢いよく噛《か》むと、実はそれは梅で、種を噛んでしまい歯に激痛が走ることはよくあった。その度に「ゆっくり食べなさい」と言われた。

祖母の手料理を思い起こさせる桜田さんの話は僕に安らぎを与えてくれた。

「ヘッドホン作戦は、もし最大音量に到達できたとしても、音量を確認できないんですよー。だって、ヘッドホンしてるし、それを取るのも怖いし」

愛嬌《あいきょう》溢《あふ》れるお団子頭と真っ直ぐの前髪。このカジュアルな髪型に釣り合った喋り方と思考は、見かける度に澄ました表情の彼女からは想像することができなかった。一方で、扉につかえる度に一人で苦笑いしていた様子は髪型と釣り合っていた。

「テレビの最大音量。今度、やってみてくださいよ」

「わかった。やってみよかな。……あのー、友達少ない？」

「少ないというよりも、いませんよ」

唐突な質問に彼女は即答した。

「私、大学内でこんなに話したこと初めてですもん。そりゃたまーに、誰かとちょっとだけ話すとかはあるんですよ。けど、友達っていうわけではないですし。友達の基準が高いとかではなく。ほんまに、関大に、友達、一人も、いません」

平然と友達がいないと断言した。

対して、日傘で自分を守る僕。さらに山根にも守られていた。「気が合う奴《やつ》としか友達にならない」「交遊関係は狭く深く」「友達多い方がダサい」みたいな顔をして大学生活を送っていた。〈ジャポネーゼ〉の行列を横目に「興味はない」と素通りできたのは、たった一人とはいえ、友達がいたから。山根の都合で、昼休みを一人で過ごさなければならないときは、日傘をさし、「友達は、いてます。今日は偶然、一人になってるだけです」という心持ちが自分を守る盾だった。地元の友達、高校の軟式野球部のメンバーは、盾にはならない。大学で通用する盾は、大学でしか手に入らない。

この盾があれば、キャンパスライフを謳歌《おうか》している学生たち、友達の輪を作る学生たちの視線を撥《は》ね返せた。

彼女と比べて小さすぎる自分に嫌気が差して、大きくため息をついた。

大教室には雨の日特有のアスファルトの匂いがどこからともなく漂っていた。

「友達作らないん？　桜田さんと今、少しだけ話してみて思ったのは、その気になれば、すぐに友達作れそう」

「名前、なんで知ってるんですか？」

「桜田花《はな》。ごめん。前、出席カード見てもた」

「小西徹《とおる》。すみません。こちらも出したときに覚えてしまいました」

瞬間的に身体が力む。それを逃がすように足の親指を丸めると、親指の付け根がＶＡＮＳのスリッポンを膨らませた。

「私、人と話すの上手《うま》いんですよ。でも、厳密には人と上手く話せるフリができるだけなんですよ。……フリ」

「フリ？」

言葉を触れ合わせる。

「良いタイミングで笑ったり、相槌《あいづち》を打ったり。学生ってほんまは、上手く話してるフリをしてるだけなんですよ。そのフリができる人たちに友達がたくさんいてるんちゃうかなって」

「じゃ、なんで、そのフリをしないん？」

「フリってことを知ってしまったからですかね。ってか、小西さんって、そのフリができるわけでもないし、できへんわけでもないし。中途半端な人やと思います」

目の下にシワを浮かび上がらせながら言った。指でなぞりたい。撫《な》でたい。

そこから視線を外すことでしか、理性を保てなかった。

「できへん人は自分の世界があって、そもそも友達作りのことなんか考えてないんですよ。小西さんみたいな、中途半端な人って、友達がたくさんおる人を妬《ねた》んでるんちゃうかなーって。どうです？　合ってます？」

「……合ってる。正門前の〈ジャポネーゼ〉の行列見て、なんやねんって思うもん」

華やかな学生たちに対する自分の妬みを正直に言った。ありのままの姿でいることで、彼女と対等にいられる気がした。

「あっ、わかります。カッコいい雰囲気の友達の輪でしか並ばれへん感じね。あの行列でしょ」

「そう！　それそれ」

僕らは〈ジャポネーゼ〉に対して同じ捉え方をしていた。偶然ではない。きっと共鳴し合える。

「私なんか、友達の輪を見るのも嫌やから、いつも一番に教室を出ますもん」

「そう！　……それ」

授業中であることを忘れて、声が大きくなってしまい、声をひそめた。

「一番に出たら、なぜか私、勝った気がするんですよね。でもたまに先に出ていかれることがあるんです。それがもう悔しくて。しかもだいたい同じ人なんですよ」

「もしかしたら、それ僕ちゃうかな？　いつもドアから近い席に座ってるから、早いねん」

「え？　ちょっと後ろ姿見せてくださいよ」

「後ろ姿？」

座ったまま腰を捻《ひね》り、背中を見せる。

「うーん。どうやろ。言われてみれば、この後ろ姿……小西さんやったのかも。ほんまに」

僕らは一年の頃から出会っていたのかもしれない。

どう見積もってもこれはワクワク気分ってやつだ。

「僕みたいにドア近くに座れればいいやん。ほな、早く出られるで」

「いやいや、ちゃんと真ん中くらいに座って、大教室を横断することが大切なんですよ。『みんなより早く出ますよー。ちんたらしてるうちにこちらは先に出ますよー』って見せつけることが大事なんですよ」

自分よりも遥《はる》か上の考えを持っている。もっと聞きたいというよりも、学びたい。

「すごいな……。見せつけるんか……。おれ、一年のときに一人で授業受けてたらさ、男女グループに『ノート、コピーさせてください』って声かけられたことがあってさ、なんかめっちゃ悔しかってん。なんかわからんけど、友達の輪をずっと見せつけられててん」

それは一年の春学期のテスト前の授業だった。

教授が「再来《さ》週の私のテストは、ノート持ち込み可です。板書したことが出ると思ってください。皆様に単位をあげたいと思っていますので頑張ってください。ではまたテストで会いましょう」と挨拶をした。

　すると、近くにいた男女グループの一人の女子が代表して「ノート、コピーさせてください」と懇願してきた。

　その瞬間、自分の惨めさを痛感した。

　あいつは一人だし、頼み込めば絶対に貸してくれる。さらに、異性から言えば、貸してくれる確率は上がる。

　そんな話し合いが彼らの中であり、僕に狙いをつけたのだろう。

　すぐに断ろうとしたが、適当な言葉が見つからず、黙ってノートを差し出した。結局、彼らと一緒に生協に向かい、コピーをとった。

　一人だけ地味な服装。明らかにグループの一員ではない。

　騒がしくコピーをしている様子を、僕は呆然《ぼうぜん》と眺めていた。思っていたよりも長い時間を待たされた。

　ノートを返してもらい、一緒に生協を出ると、彼らは去っていった。一度も振り返ることはなかった。

　そしてリュックにノートをしまおうとしたときに気付いた。ノートの端が折れ曲がっていた。

　僕はいてもたってもいられず、山根に電話をして、愚痴をこぼした。山根は当事者であるかのように悔しがってくれた。

そのときの感情が押し寄せてきて、僕は一気にまくし立てた。

ひと呼吸つくと、教授の淡々とした声が聞こえてきた。

相槌を打つ隙もなかった桜田さん。

不満話を押しつけただけの僕。

「……こんな話してごめん」

すぐに謝った。

すると、彼女は首を横に振りながら言った。

「それはアカンわ。悔しいですね。なんか、集団ってものを見せつけられましたね。その人たち、小西さんのノートのおかげで単位を取ったんでしょうね」

共感してもらえるだけで救われる気持ちになる。

「小西さんにいいこと教えてあげますよ」

「なに？」

「昔、お父さんに教えてもらったんです。嫌いな人が困っていたら、『ざまあみろ』と思うな。嫌いな人が困っていたら助けてあげなさい。そして、『私に助けられて、ざまあみろ』と思いなさいって。どうです？」

一気に目頭が熱くなった。そして、机に突っ伏した。

久しぶりに僕の道標になってくれる言葉に出合った気がする。

亡くなってしまった祖母からは今後、新たに教えてもらえることはない。もちろん、時間差で気付き、学ぶことはあるだろうが。

彼女のお父さんからもっとたくさん教わりたい。

教授の声が遠くに聞こえる。中ほど以降はほとんどが雑談をしている。僕らもそれに含まれていた。

それが心苦しかった。こんなにも濃密な会話は雑談ではない。もっと高貴なものである。

横並びではなく、面と向かって話したい。

祖母は僕に語りかけてくれるとき、絶対に顔を向かい合わせてきたのだった。


小学校高学年の夏休み。ある暑い日。

祖母と二人でどこへ行った帰りだっただろうか、メロンソーダ目当てで喫茶店に行った。店内に入ると、テーブル席が満席でカウンター席しか空いていなかった。

「外で待ちまーす」

祖母は店員にそう言ったが、僕は暑くて、早くメロンソーダを飲みたい気持ちが勝った。

「待たなくても、カウンター席でもええよ」

「アカン。喫茶店は美味しい飲み物と一緒にお話をするところやから。会話は面と向かってするものやで。横並びやったらアカンアカン」

意志の強い祖母に敵《かな》う気がせず、汗を垂らしながら外で待った。しばらくして、テーブル席が空き、念願のメロンソーダで喉を潤し、体を冷やし、甘さを堪能した。祖母はホットコーヒー。

「徹、ええか？　いずれ、好きな子ができたらデートに行くことになるんやで。そのときは絶対にテーブルで向かい合いなさい。気取ってカウンターの高級寿司なんかアカン。大将と向き合ってどうすんねん。好きな人と向かい合わなアカンで。寿司よりも美味しい会話を握る男になりなさいよ。ええか？　あと、デートをするなら朝にしなさい。夜のデートは暗いからその人の全てを見られへんのやで」

祖母は、小学生の僕にデート論を語ってきた。

「昼だって明るいから見れるやん」

「昼は明るすぎるから、見えすぎるねん。見えすぎてもアカンのやで」

ホットコーヒーの湯気越しに見えた祖母の熱い眼差《まなざ》しは忘れられない。また、祖母の口から発せられた「デート」は文字にすると「デイト」だったのを覚えている。

「女を見抜くなら朝やで。朝を楽しめる女は一日を楽しめる。夜を楽しむ女は夜しか楽しまれへん」

デートの話に、小学生ながら妙に照れてしまい「よくわからへん」と濁すと、「いずれわかるわ」と囁《ささや》かれた。

上体を起こして、横並びに座る桜田さんを見る。

「突然なんやねんって思うかもしれへんけど、あのさ、明日さ、いや、別に明日やなくてもいいんやけど、まぁとりあえず明日ってことにして、あのさ、明日の朝やねんけど、一緒に朝ご飯食べに行かへん？」

「え？　朝ですか？　まぁいいですけど。断る理由もないような」

駆け引きみたいなものが微塵もない返事。

これが全くもって学生らしくなく、彼女と一緒なら、正直に生きられる。そう思った。

「明日、7時半に正門でどう？」

「はーい」

「え、え、え？　いいの？」

「はい、いいですよ」

快諾。

このまま、寄り添うことをせがんだとしても許可が下りる気がした。

会話の順番では、自分が話し出すべきだった。しかし、大教室の床に溶けてしまいそうなほどに脱力していた僕は何も言えなかった。

彼女は僕の返事がないことに、このまま会話が終わったと察して、何も言ってこなかった。

結局、この返事を最後に僕らの雑談は終わった。

授業が終わるまでは真横に座っている間合いを堪能した。

教科書を見ている振りをして、横目で彼女の手を眺めた。手の甲の皮膚が桜田さんの全身に繋《つな》がっている。笑うとできる目の下のシワにも繋がっている。目の下は撫でられないが、手の甲なら撫でていいのでは？　と誘惑に駆られた。そして、自分の手の甲を撫でた。

チャイムが鳴り、明朝の約束を確認すると、彼女は「今日は私が一番に出ますよ」と悪戯《いたずら》な笑みを浮かべて、扉を正しく引いて、出ていった。

ひと息ついて、教科書を鞄にしまう。周りを見ると、いくつもの友達の輪ができていた。

「楽しそうで、ええやん」

誰にも聞こえない声で呟いた。

次の教室に移動する。

雨は弱まっていた。今日は一日中ずっと雨。自分にとって今日の出来事は晴天が似合う。雨と釣り合っていない。ならば傘はささずに歩こう。盛大に雨に打たれてやろう……それにしては弱い雨。だからやめよう。それ以前に、無意味なのでやめた。

浮わついたまま、次の授業を受ける。教授の話は聞かずに、ずっと時計を眺めていた。

僕がここにいられるのは、私立大学の高い学費が支払われているから。当たり前のように動く秒針。その度にいくら支払うことになるのだろうか。親の顔が浮かび、教授の声に耳を傾ける。しかし、集中力はなく、外から聞こえてくる雨音の方が耳に馴染んだ。

時計を眺めていると、実家の鳩時計を思い出す。父方の曽祖父から代々受け継いでいる代物。実家の庶民的なリビングには、少々浮いているほどの立派な鳩時計。

驚くことに一時間に一回しか出てこない鳩の頭には埃《ほこり》が積もっている。我が家ではその埃を大切にしているのだ。それに気が付いたのは僕だった。

小学四年の年末、家族全員で大掃除をしていた。

両親、兄、僕、そして祖母。ゴールデンレトリーバーのデン太は我関せずといった様子で寝ていた。

「鳩時計、拭いておいてちょうだい」

「はーい」

祖母が指示を出すと、父が返事をした。その様子を見ていると、父が祖母の息子であることを思い出し、不思議な気持ちになった。

「届かへんな。おーい、徹。鳩時計拭いてくれ」

父は僕に雑巾を持たせて肩車をしてくれた。

鳩時計の三角屋根にはたっぷりと埃が積もっていた。

「きったな」

咄嗟に声が出た。

「私たちが巻き上げた埃のせいで、『きったな』って言われる鳩時計の気持ちになってみなさい」

祖母に注意されたちょうどそのとき、昼の11時になり、鳩が出てきて、鳴き声を発した。目の前にいる鳩。いつも下から見ていた鳩を真正面から見ると違和感があった。そして頭上に目が行った。

「鳩の頭に埃、積もってる！」

高さ1センチほど積もった埃。

僕の声に反応した祖母と母が駆け寄ってきた。

父はすぐに僕を下ろして、わざわざ椅子を持ってきた。しかし、11回鳴き終わった鳩は戻ってしまった。

「帰らんといてー。見せてくれー」

父が大袈裟《おおげさ》に嘆いた。

次出てくる12時には、父、母、兄、僕、そして祖母がそれぞれ椅子の上に立ち、鳩を待ち受けた。そして、埃を頭に乗せた鳩が出てくると、口々に感動の声を上げた。反抗期真っ盛りの兄も目を輝かせた。その様子に気が付いたデン太が、遊んでもらえると思い走ってきた。デン太がフローリングの床を走るとカチカチカチカチと鳴る足音が好きだった。

「あんた汚いねー」

祖母が鳩に向かって、ぼそっと言った。

鳩時計に「きったな」と発言した僕に注意してきた祖母が「汚いねー」と言った矛盾を指摘する時間がもったいないほど、頭上に積もる埃を見ていたかった。

12回鳴き終わると、視線の多さに焦るように戻る鳩。

「頭に埃あるのに、ええ顔やなー、それにしてもウチはそんなに埃っぽいんかー？」

父がいじけるように言うと、祖母が提案した。

「この埃取るのもったいないから、置いとこう」

この奇抜なアイデアに、皆が賛同すると、祖母がさらに続けた。

「……この埃は我が家の埃であり、誇りである」

「うまいっ」

父が少しだけ笑いながら拍手をした。

「ほこり？　どうゆうこと？」

小学四年の僕には意味がわからず聞くと、祖母が優しい声で言った。

「いずれ、わかるよ。今わからへんことは、今わからんでいいの。いずれ、ふと思い出したときにわかった方が身になるねん」

案の定、中学で『誇り』の漢字が教科書に出てきて、点と点が繋がり、小さく拍手をした。

あの日以来、三角屋根の埃は綺麗に拭き取られるものの、鳩の頭の埃は取られることはなく、今も積もり続けている。

授業が終わった頃には雨は止《や》んでいた。

アニマル傘を閉じたまま、手に持つ。そして日傘をさす。これだけでこだわりが強そうで、少しだけ変な学生になれる。曇っているときは、変人さが増す。そして、より堂々と一人でキャンパスを歩けるのだ。

雨が上がったことを喜ぶように、ダンス部が図書館の窓に反射する自分たちの姿を見て、必死で踊っている。その窓ガラスの向こうには黙々と勉強をしている学生。互いに姿は見えているはず。双方の集中力の高さに驚く。

正門を越えると日傘は閉じる。僕にとっての境界線。

今日こそ押し返してやろうと企んでいた西日は雲に隠れていた。

〈プーケ〉の前にサクラがいたので一方的に戯《たわむ》れる。

両膝をつき、目線を合わせる。このあいだの香ばしい匂いはなくなり、体毛が柔らかくなって、石鹸《せっけん》の香りがした。シャワーに入れたあとすぐに雨が降るのは飼い主泣かせだ。雨のせいでせっかく綺麗になったベージュ色の身体が、部分的に汚れていた。そんなことを気にしないサクラが羨ましくもあった。

両手で顔を包み込むと、間抜けな表情になる。おでこ同士を合わせる。いい加減、覚えてくれているだろうか。尻尾《しっぽ》の振りは変わらず、常連客に向けたものではない。一度も〈プーケ〉

にお金を落としていないことを見極めているに違いない。それほど賢い犬だ。

山根から聞いた噂《うわさ》では、〈プーケ〉から2キロ以上離れたＪＲ吹田《すいた》駅の改札を抜けたホームで発見され、警察沙汰になったこともあるらしい。電車に乗ってどこかに行こうとしていたのだ。山根は「あのおっかねぇ犬は、絶対にワンワン王国に行こうとしてたねん」と冗談めかして言った。

〈プーケ〉のドアが開き、鈴の音が小さく鳴る。

「サクラ喜んでますね。店内から見えたから。良かったらどうぞ。いらっしゃいませ」

頭上から聞こえてきたのは桜田さんの声。

彼女の声は、耳の穴から入って鼓膜を震わせ脳に伝達されるのではなく、脳に直接伝わるようだった。

慌てて首を動かし、見上げる。

「痛っ」

突然捻った首に、激痛が走った。

「え？　大丈夫ですか？」

首に手を当てながらヘラヘラと笑った。

サクラはすぐにそっぽを向き、尻尾を盛大に振り、彼女の両膝に顔をうずめた。

首をゆっくり戻すと、違和感が残った。

「すみません、私が突然声かけたせいで」

「いやいや、謝ることじゃないよ。話しかけられて、首がピキーンってなったん初めてや。痛っ……」

「ピキーン系ですか。ちょっと待っといてください」

彼女は少し笑って、店内に戻った。

自分の間抜け具合に呆れ返る。

彼女の前だと、地球上で最もダサい男になる。

これは遺伝子レベルで異性に不慣れとしか思えない。しかし思い返せば、高校時代の彼女にも、10日間だけの大学の先輩の彼女にも、ある程度は男として正しく振る舞えていた気がした。

桜田さんから放たれている波動みたいなものが僕を狂わせているのだろうか。

「湿布、貼ってください。多分、治るんで」

そう言いながら、彼女は湿布のフィルムを剝がし、両膝をついたままの僕に貼ろうとしてくれる。

「え？　ええの？　ええの？　ええの？」

何回も確認しながら、身動きが取れず、なされるがまま。

彼女は白シャツの襟《えり》を捲《めく》り、湿布を豪快に貼ってくれた。

サクラが湿布の臭いに反応して、首を何度も嗅ごうとするので立ち上がる。

ちょうど目の前に、大きなお団子頭の頂点がある。

少し視線を下げて、目を見て言った。

「ありがとう」

「どういたしまして」

二つで一つの言葉。

紺白ボーダーのロンT、朱色のエプロン、真っ直ぐの前髪、お団子頭。

「ここでバイトしてんの？」

「はい。関大に入学してからずっとですよ」

「おれも、サクラ、入学してから、しょっちゅう触ってる」

僕らは入学した頃から接近していたのだ。なんの気なしに過ごしていた一年間。決して、無意味な時間ではなかった。

ここで働く彼女はキャンパス内とはまるで印象が違った。友達が一人もいないだなんて思えなかった。

コーヒーより紅茶が似合う。

クリスマスより正月が似合う。

小脇に抱えるのは、国語辞典より昆虫図鑑。

勝手な想像が楽しかった。

案内されるがまま、〈プーケ〉に入った。ドア上部に鈴がついている。

混み合っている店内。

小さな鈴の音が、ほとんどの客の視線を僕に向かせた。

客はおそらく関大生ばかり。「あいつ、一人で来た」という視線を感じる。

いや、勝手に感じているだけかもしれない。

「傘はこちらの傘立てにどうぞ。あれ？　二本持ってる」

返事ができないままアニマル傘は傘立てに、折り畳み日傘はリュックに入れた。

彼女の青色の傘も立ててある。それに目が止まると、今朝と〈超越論哲学〉での出来事が同じ一日で起きたとは思えなかった。

「こちらへどうぞ」

グループで来ている人たちのそばを通り抜け、奥の席に案内される。

「お食事にしますか？」

テーブルに広げられたメニュー表を見る。

「いや、とりあえず飲み物だけで。バナナシェイクください」

キッチンにオーダーを通しに行く彼女。

決して、バナナシェイクを飲みたいわけではなかった。好感度を下げることはない飲み物として、バナナシェイクが最適だと思った。根拠はない。

様々なサイズのテーブルが8卓、カウンターは5席。空席はなく、40人は入っている。一人で来ているのは僕だけ。ホールには彼女以外に、30代後半くらいの女性店員もいた。前髪ごと後ろにまとめたポニーテール。なめらかなおでこが印象的。

しばらくすると桜田さんがお盆にバナナシェイクを乗せてやってきた。

「お待たせしました。バナナシェイクです」

笑顔で持ってきた彼女から、食堂でざる蕎麦を一人で食べていた姿は想像できない。不思議と耳に残っていた、聞こえなかったはずの蕎麦をすする音は、もう思い出せない。

そのまま彼女は他の客の水を足したり、空いた皿を下げたりした。その様子を眺めながら、バナナシェイクをストローで吸い上げる。バナナと蜂蜜の甘い香りを、湿布の臭いが邪魔した。それでも喉を通る甘さを懐かしく感じた。

そこからバナナシェイクを5回吸い上げて飲み干す。1分も経っていない。喫茶店で、飲み物と食べ物と会話を楽しみながらゆっくりすることが不得意な僕。

手持ち無沙汰になり、レジに向かった。

「早いねー。居心地悪かった?」

レジにいたなめらかなおでこの女性が言った。

「とても良かったです。一人なんで。サクッと」

「歴代のお客さんの中で、滞在時間最短記録かも。あっ、首の子？　大丈夫？」

笑顔で言われる。なめらかなおでこは笑顔を強調している。

〈首の子〉と名付けられていることが可笑《おか》しくて、笑ってしまった。

「大丈夫です。もういい感じになってます。お騒がせしてすみません」

「復活も最短記録かもね。花ちゃんが急いで湿布を取りに来たから、お客さんがどうしたんかなって思った。まぁ良かった、良かった。バナナシェイクねっ。３２０円でーす」

学生御用達の店なので値段は良心的だ。

「あっ、もう帰るんですか？　ありがとうございました。めっちゃ早いですね。まぁ私が勝手に招き入れたから」

「あら、首の子、お友達だったの？」

女性が首をかしげながら聞いた。この問いに対して、桜田さんがどう答えるかを期待した。しかし、女性の視線は僕に向けられていた。この状況を華麗に打破できる自信はない。

「驚異的な友達です」

不気味な返事をしてしまった。

「少し変な人なんです」

不思議そうな顔をした女性に、桜田さんが解説するように言った。

これは決して称《たた》える言葉ではない。ただ僕にとっては、３万人以上いる関大生の中から摘《つ》まみ取られたような快感だった。

満開の桜並木から選び抜かれた一本の樹。その中のたった一輪の桜。さらに一枚の花びらを選び抜き、「少し変な形の花びら」と言われているような、最上の余計なひと言だった。

おでこの女性と桜田さんが並んでいると、たとえるならば柚子《ゆず》とキンカンに見えた。桜田さんがキンカン。皮ごと食べられる。20年後、どうなるのだろうか。おでこの女性はまた違うだろう。スダチのような人になりそうだ。妙な存在感がある人。

二人に見送られ、〈プーケ〉を出た。すると、サクラが猛烈に尻尾を振って、太ももの間に顔を突っ込んできた。初めてサクラから向かってきてくれた。ちぎれんばかりに振られている尻尾。湿布を嗅いでくる。そして、ひっくり返りお腹を見せてくる。撫でるとさらに尻尾の勢いが増した。看板犬としての才能に笑みがこぼれた。

サクラに手を振る。

桜田さんは、明朝のことに一切触れてこなかったので、少しだけ不安だったが、そんなことはどうでもよくなった。

家が近づくと、自然とリュックから鍵を出す。人差し指をキーホルダーのリングに通して回す。指を止めると、余った遠心力だけで鍵が回った。それだけのことで、気持ちが高揚した。

アパートの外階段を上がり、部屋の薄いピンク色の扉を眺める。

「……薄くなくても、濃くて派手なピンク色でも良かったけどな」

強気な独り言。

深夜0時、〈めめ湯〉のバイト。

「おはよー、そして、こんばんは」

佐々木《ささき》さんのいつもの挨拶。さっちゃんはまだ来ていない。

「おまはん、前、遅れたんやな」

「あ、すみませんでした」

「いや、別にそんな厳しいバイトやないから、ええがな、ええがな。今日一人体制やな。よろしくな」

今日が一人体制のことをすっかり忘れていた。急いでも3時間はかかってしまう。桜田さんと朝7時半に待ち合わせることを考えると、二人体制で清掃して、せめて2時には終わらせたかった。前回の遅刻の件もあり、申し訳ない気持ちはあったが、佐々木さんに頼み込んでさっちゃんに電話をしてもらい、急遽《きゅうきょ》お願いすると、すぐに来てくれた。

「私、寝かけてたんやで！　こんな時間に佐々木さんからの電話で焦ってたら、すぐに小西くんに代わって、まさかの『助けてくださいー、さっちゃんさまー。遅刻のこともあったばかりやのにごめんなさーい』ってなんやねん！　私、お風呂も入ったのに、なんで風呂の掃除せなアカンねん！」

気を遣わせないためにいつもより明るく振る舞ってくれているさっちゃん。

「ほんまごめん！　明日、学校早くてさ」

佐々木さんとさっちゃんには適当な嘘《うそ》をついていた。さすがに、異性と朝食に行くから力を貸してくれとは言えなかった。

「あれ？　首どうしたん？　湿布？　大丈夫？」

「うん、大丈夫。寝違えみたいなもん。もう痛くないけど」

「なんか必要やったら言ってな」

「さっちゃんにはこれ以上、甘えられへんわ」

「もう甘えまくってるぞ！」

さっちゃんが首を叩く振りをして、ふざけた。

清掃しながら「たった1時間早く終わるからなんやねん」と、文句を言われた。それでも、「ありがとう」と感謝する度に「どういたしまして」と丁寧に返してくれた。無駄話をすることも忘れなかった。

結局、いつもより早く、2時前に終わらせることができた。

外に出て、鍵をポストに入れ、いつもの金属音を聞く。

「さっちゃん、ほんまにありがとう。これで明日、遅刻はしないわ。この恩は必ず」

「これは前回のもあるから、ご飯2回奢《おご》りやな。そういえば小西くんと、〈めめ湯〉以外で会ったことないいな」

「ほんまやな。なんか照れるかもな。ご飯は、関大のタルタルチキンカツ定食でいい？」

「ふざけんなよ。もっと高いやつや。あ、そうや、曲聴いてくれた？」

「曲？」

「……スピッツ」

すっかり忘れていた。

「……タイトルなんやっけ……」

「『初恋クレイジー』」

「そや！　絶対に聴いとく。で、ご飯食べながらその歌について語らおう」

「語らうつもりはないけど、約束な」

笑い合って手を振り、心の底から掘り返すように「ありがとう」と伝えて、別れた。

家に戻り、シャワーを浴びる前に首の湿布を剝がして、ゴミ箱に優しく入れた。


翌朝、6時半に目覚め、すぐにベランダに出た。

昨日の雨雲は跡形もなく、晴れ渡った空。雲がない部分だけを切り取れば、水色の折り紙みたいだ。

予定より早めに出発し、正門前で待機した。

僕の背中にあたる朝日は、朝練に向かう運動部の学生たちの顔を照らす。

しばらくすると、桜田さんがやってきた。昨日の「はーい」という軽い返事だけで、待ち合わせは成立していた。それに安堵《あんど》して、無駄につま先立ちをする。軟式野球部時代の試合前の高揚感に似ていた。

真っ直ぐの前髪、大きなお団子頭。ベージュ色のカジュアルワンピースがサクラと同じ色だったが、ハイカットの赤色オールスターが差し色となり華やかだった。

扇風機より、うちわが似合う。

デジタル時計より、アナログ時計が似合う。

スーパーマーケットでカートを押すより、カゴだけを持つのが似合う。

自分にしかわからない対比に納得する。

挨拶を交わし、昨夕の〈プーケ〉の偶然を振り返った。

「まさかあそこでバイトしてたとは」

「首、大丈夫ですか？」

「もう大丈夫」

「あんな捻り方ってあるんですね」

赤面。思い返したくない。

「店、向かおうか」

話をそらすように歩き始めた。

事前に決めていた、朝7時から夜10時まで営業している喫茶店。正門を背にして右に進み、二つ目の角を左に曲がると、住宅街にひっそりと〈喫茶ため息〉はある。月に数回は行く店。山根ともたまに行く。

「この店、謎が一つあるねん」

「なんですか」

木製の扉を押し開ける。

「いらっしゃい」

店内に入ると、カウンターキッチンにいるいつものマスターが迎えてくれる。70歳くらい。声は外見の印象と違って少し高い。それが不思議と親近感を持たせる。

髭《ひげ》をたくわえた、白髪《しらが》混じりのオールバック、目尻の深いシワ、白いシャツ、黒いズボン、黒いエプロン。いかにもマスター。若い頃、都会で遊んでいた雰囲気がある人。名脇役俳優にも見える。

店内にはカウンター席が5席と4人用のテーブルが5卓ある。お客さんはいない。

窓際のテーブルにつき、向かい合って座った。

真正面から彼女の顔をしっかりと見たのは初めてかもしれない。目が思っていたよりも離れている。そのせいで一瞬、別人に見えた。

「見て」

店内の上部をぐるっと指差しながら言った。

この店は俳句を書きそうな短冊に一品一品メニューが書かれていて、それらが店内を一周している。１００種類はある。

「これ全部作れるんですかね。中華料理屋みたい」

「メニュー見て、何か気付くことない？」

「ブラジル黒豆出汁《だし》……？」

「コーヒーのこと」

この喫茶店のメニュー名はどれも変なのだ。

「卵を渋谷の交差点のように……？」

「スクランブルエッグやで」

次々に読み上げる桜田さん。

「卵で日の丸国旗……？」

「これは簡単。目玉焼き」

「家庭によって味が違いすぎるーぅ……？」

「これは多分、カレー。頼んだことないからわからんけど」

「アナタは何座……なんやろこれ？」

「餃子《ギョーザ》」

「たくさんの稲穂を水で膨らましましたって、お米ですか？」

「そう。もう無茶苦茶」

「砂糖まぶしの金太郎飴《あめ》みたいなのを揚げた棒？」

「それ、わからんねん」

「本当にすごいネーミングセンス。あれはなんやろ？　黒ゴマをひと回り大きくしたものたちとクラッカー……？」

「キャビア」

「えっ……。キャビアのことなんやって気持ちより、喫茶店やのにキャビアあるんやって気持ちが強いです。最高ですね。ここ」

自分自身が褒められている感覚。

迷った末に僕は〈オムレッツゴーゴー〉、桜田さんは〈2枚のフリスビー焼き。バターと蜂蜜を乗せて〉に決めた。

「何にしますか？」

マスターがキッチンのカウンターからこちらを見る。その様子が少しだけシュナウザー犬に似ている。

桜田さんが丁寧にメニューを読み上げて注文してくれた。

「オムレツとホットケーキねー。少々お待ちください」

本来の名称で言い直したマスターが調理にかかる。

「なんかちゃんとメニュー名を言ったことが恥ずかしくなりますね」

愚痴を吐くように呟き、本当に顔を少し赤らめた。

「あのマスターが名付け親？」

「他に働いてる人を見たことないから、多分そう」

平然と調理を始めているマスター。

だが、〈喫茶ため息〉の一番の謎は、メニュー名が変であることではない。山根と共に不思議に思っていることが別に一つあるのだ。

「桜田さん、冷たいアイスのところから一品ずつ読んでみて」

「冷たいアイス（冷たいのは当たり前です）。土から掘った女性が大体好きなものを石で焼いて熱々に。オムライス。パンに卵を染み込ませたパリジェンヌになれるトースト……オムライス？　え、なんで？」

そう。この店のメニュー名は全てが変なわけではない。唯一、オムライスだけが普通の名前で堂々と佇《たたず》んでいるのだ。明らかに変である。絶対に理由がある。だからこそ、安易にマスターに聞いてはいけない。という見解に山根と至っていた。よって、いまだに解決しておらず、オムライスを注文する勇気もなかった。

「私、めっちゃ気になります。なんで、オムライスだけ。……変な名前こんなにもたくさんあるのに。でもこれって、マスターに聞いたらダメなような気がします。触れてはいけない部分かも。些細《ささい》なことですけど」

「そう思う。だからまだ解決してないもん」

僕と山根と同じ意見。些細なことかもしれないが、重要な価値観。

祖母はよく「些細なことは些細やない」と、ささくれを見ながら嘆いていた。


中一の冬。

「ささくれは痛い。下手したら骨折より痛いんちゃうかな？」

祖母が乾燥した手にクリームを馴染ませながら口にした。

「それはないやろ」

すかさず否定して笑った。

「骨折って諦めつくでしょ。でもささくれって諦めつかへんのよ。だって皮が少し剝《む》けてるだけよ？　……些細なことほど痛い。覚えときなさい。些細なことは些細やない」

語気を強めた祖母。

「はーい」

「些細の、ささは、ささくれの、ささ。ささいのささはささくれのささ。ささいのささはささくれのささ」

これを祖母は間髪を入れずに何度も繰り返した。

「ほな、言ってみ」

突然の指示に従い、この早口言葉もどきに果敢に挑戦するも、すぐに詰まった。

「はい、ダメー!」

僕の顔を指差しながら大笑いした祖母。そして、なぜか抱き締めてきた。僕はそれに抵抗することもなく、ただひたすらに祖母に愛されていると陶酔した。


しばらくするとマスターが料理を持ってきてくれた。

「お待たせしました。ごゆっくりどうぞ」

見るからにふわふわのオムレツと、真ん丸なホットケーキ。

テーブルに皿を置く際、ホットケーキの上で溶け始めたバターが少し動いた。なめらかな動き。

すぐに桜田さんがホットケーキをひと口食べる。

「美味しい。こんな美味しい店あるなんて知らんかった」

きっとお世辞ではない。

彼女は突然、マスターに声をかけた。

「すみません、マスター。ほんまに美味しいです」

「本当に? 良かった良かった。わざわざ言ってくれてありがとうね」

キッチンからこちらを見るマスターは嬉しそうに目尻のシワを深くした。

「美味しいときは、今みたいにわざわざ声かけんの？」

「本当に、本当に美味しいときは、ちゃんと『おいしい』って言いなさいって。お母さんのご飯が美味しいときだけですよ。昔、お父さんに言われたことがあって。お母さん選手に絶対、『ナイスシュート』って言うやろ？　って。私そんなにサッカー見なかったし、ピンとは来なかったけど。まぁそんなお父さんの影響かも」

「いい教えやな」

「私のお父さんね、絶対に調味料をつけなかったんですよ。醬油《しょうゆ》とか、ドレッシングとか」

「なんでなん？」

「なんか、『お母さんが作ってくれた料理の味を変えるわけにはいかない』って。そしたら決まってお母さんが『私は美味しく食べてもらった方がいいけど』って言ってました」

彼女が両肩を竦《すく》めて笑った。その姿がただただチャーミングで見惚《みと》れてしまう。

僕も料理にフォークを飛び込ませる。

オムレツを掬《すく》い取り、口に運ぶ。

「ほんま美味しい」

外側はしっかりと焼かれている。でも柔らかい。中身は半熟。でもフォークで掬い取れるほどの固さがある。半熟卵がフォークの隙間からこぼれない。

「マスター。ありがとうございます。本当に美味しいです」

キッチンにいるマスターがこちらを見る。

「嬉しいよ。ありがとう。わざわざ」

〈喫茶ため息〉の料理は本当に美味しいのだ。

ここの料理はどれも薄口。でもそれが味気ないわけではない。山根は「強い薄口ねん」と言っていた。

関大に入学する前、三重からはるばる、父が引っ越しの手伝いで来てくれた。ひと通り片付けが終わり、腹を空かせて土地勘がないまま飲食店を探していると、やっとの思いでここにたどり着いた。二人で舌鼓を打ち、店を出たあとに父がオムライスの謎を教えてくれたのだった。

〈喫茶ため息〉を知った経緯を説明すると、桜田さんが言った。

「オムライスの異変にすぐ気付けたお父さんがすごいですね。ってか、いいですね。お父さん」

ぎこちない言い方。

「……実は私、9歳のときにお父さん亡くしちゃったんです」

正しい対応がわからず、オムレツを口に含んで、話せない素振りをする。

「高校を卒業した18歳のときに気が付いたんですけど、9歳で死んじゃったから、そこからは父がいない人生の方が長くなってしまうんですよ。歳を重ねると、父がいない人生だけが増えていく。父がいた人生は変わらない。それがとてつもなく寂しい」

オムレツを飲み込む。そして何も入っていない口を動かし続けた。

「当たり前のように、お父さんがいる人生を送れるって思ってましたもん。いや、そもそもそんなことすらも考えてなかったです。9歳ながらに感じたことは、お父さんが死んだ悲しみより、自分が母子家庭になったことへの驚き。クラスに一人は母子家庭の子っていたじゃないですか？　なんとなくクラスの皆がそのことを知っていて、でも子供ながらに触れることはしなくて」

返事ができないまま、彼女の話に耳を傾けていた。

「お父さんが死んだってわかったとき、悲しみより、『え⁉　私、お父さんがおらへんお家《うち》の子になってもたん⁉　お母さんと妹と私だけの女だらけの家族やん！』ってびっくりしたんですよ」

彼女の領域にここまで入り込んでいいのだろうか。しかしここまで案内したのは彼女自身だ。僕には何かを言う権利がある。

慎重に言葉を選んだ。

「そうか。そんなこと思うんや。じゃ昨日、教えてくれた、嫌いな人が困ってたら助けてあげて『私に助けられて、ざまあみろ』って思いなさいって言葉は、お父さんからもらった宝物やな。桜田さんの中に生き続ける言葉なんやな」

「……ごめんなさい……小西さん。言ってること臭すぎませんか？」

「……え？」

「なんか、母子家庭って気を遣われるんですよ。今の小西さんみたいに、言葉を選んで、選んで、言ってくれるんですよ。もっと適当でいいのに。年月が経ってるし、こっちはそんなに気にしてへんし、『おとん、死んでんの⁉』くらいでもいいんですよ」

吹っきれた言い方が滑稽だった。

「おぉほほほっ」

思わず笑ってしまったものの、それでいいのか不安になり制御すると、変な笑い方になってしまった。

「……なんで、お父さんのことを話してくれたん？」

「誰かに言いたかっただけかもしれないです。家族とするお父さんの話って思い出話ばっかりで、お父さんが死んだことによる変化、みたいな話はできないんです。『お父さんが死んだ』ってフレーズなんて絶対に家で言えないんです。『お父さんがおらんくなった』って言いますよ」

「僕のところは、おばあちゃん死んでるけど、『おばあちゃんが死んだ』とは言える」

「なんなんでしょうね。早死に系は、言われへんのかな。それともそれぞれの家族によるんかな」

「早死に系って」

キッチンから洗い物をする音が聞こえて、ここが〈ため息〉であることと、目の前の女性が〈一人ざる蕎麦女〉であることを思い出した。

「桜田さんって、ほんまに友達おらんの？　〈プーケ〉で働いてた姿を見てたら、キャンパスライフを謳歌している系の関大生に見えてん。〈ジャポネーゼ〉に並んでいてもおかしくないって。僕には到底敵わない学生に見えて焦った。だから、友達作ってみたら？」

「と言いますと」

空回りしているとわかりつつも、僕なりに考察したことを説明した。

「店員さんに『お友達？』って聞かれたやん？　あのとき、普通に『友達です』と言えなかったことが気にかかってて」

「驚異的とか言ってましたよね」

「あのとき、僕が『友達です』と言ったが最後、友達がいなかった桜田さんは、それに終止符を打つことになってててん。僕にはその重大な役目は果たせなかった。だから言えなかってん」

「ごめんなさい。ほんまに意味がわからないです」

「逆の立場で考えたら、僕には山根って奴しかいなくて、山根も僕しかいなくて……で、急にもう一人友達が増えるってなったら、山根に『コイツと友達になってええ？』って確認取りたくなる。むしろ、『三人で友達にならへん？』って。絶対に言いたくなる。抜け駆けしてるようなな。マナー違反のような」

「そうゆうことですか。でも最初から友達がいない私は確認取る相手もいないんですよ」

「じゃ、あのとき、僕が友達かどうかを勝手に決めて良かったってこと？」

桜田さんが頷くと、頭でお団子が小刻みに揺れた。

「じゃ、友達になってくれへん？」

「大袈裟ですね」

家族、山根、めめ湯、桜田さん。それぞれの場でそれぞれの自分がいる。

木製の扉が開き、お客さんが入ってくると、マスターは「いらっしゃい」と挨拶をした。

桜田さんはマスターを一瞥《いちべつ》して、こちらに視線を戻し、言った。

「あっ！　小西さん、〈プーケ〉に傘忘れましたよね。持ってこようと思ってたのに忘れました。せっかく家に持ち帰ったのに。迷彩柄の」

忘れたことにすら気が付いていなかった。

「ほんまや忘れてた。ありがとう」

「いえいえ、どういたしまして」

金曜日の〈社会心理学〉で受け取る約束をすると、余裕が生まれて、椅子の背に思いっきりもたれられた。

女性と二人っきりの食事は高校のときの彼女と、大学入学後に出会った先輩しか経験がなかった。そのときはどうしてもご飯を食べながら話すことが苦手だった。話して、口に運んで、噛んで、飲み込んで。これらのタイミングがわからなくなっていた。今、一連の動作を自然にやり遂げていた。そんな自分を意識することで、この動作を見失うこともなかった。

食べ終わると桜田さんが言った。

「あー、本当に美味しかったです。朝から、さちせな気分です。さちせさちせ」

彼女の口から妙な言葉が発せられた。それは全く聞き覚えがなかったが、耳に馴染む、聞き心地のいい言葉だった。

「さちせ？」

すぐに聞き返す。

「あ、ごめんなさい。家の中だけの言葉だったけど、お父さんの話をしていたせいでつい出ちゃった。さちせです。わかりません？」

見当もつかず、首を傾けた。

「さちせは、幸せってことです。幸せの、読み方を変えて、さちせ、って読んでるだけです」

「え？　なんで？」

「お父さんの口癖ですかね。例えば、美味しいものを食べたりして、幸せを感じると、『さちせ』って言うんです。理由を聞くと、変に納得できちゃうんですけど、あのですね……『幸せを感じたときは少しでも早くそれを言いたい。だから、しあわせ、じゃなくて、さちせって読んだ方が、早く幸せを伝えられる』って」

「おぉー」

彼女の言う通り、やたらと説得力があって、舌を巻いてしまった。

「私、ずっと、普通に、さちせって言ってましたからね。まだお父さんが生きてたとき、小学校で〈幸〉の漢字を習って、あれ？　って思ったんです。家に帰って聞いたら、『あっそうだった』って、理由を教えられてビックリしましたよ」

やはり桜田さんのお父さんの言葉は、僕の心にしっくりくる。

窓から空を覗《のぞ》く彼女。

「いい天気ですね」

「一気に世間話になったな」

目を合わせて笑い合った僕ら。それが区切りだったように、店を出ることにした。

彼女を遮《さえぎ》り会計を済ませると、マスターが桜田さんの目を見て、柔らかい表情で独特な挨拶をした。

「ありがとうございました。また来てくれると嬉しいです」

一瞬、戸惑う桜田さん。

続けてマスターは視線を僕に動かし、いつもの挨拶をしてくる。

「また来てくれたみたいでありがとうございました。さらにまた来てくれると嬉しいです」

戸惑い続ける彼女を横目に、頭を下げて、木製の扉を押し開けて、外に出た。

ふと、この扉は押しても引いても開くんだなと気が付いた。

あの大教室の扉がもしこのつくりだったら、桜田さんとの、今のこの状況はなかったのかもしれない。

横並びで歩くと目の高さにちょうど団子頭の頂点がある。

「マスターのあの挨拶ってどうゆうことですか？」

案の定、彼女は尋ねてきた。

「初めてのお客さんには桜田さんにした挨拶で、2回目以降は僕にした挨拶になるねん」

「お客さんの顔を覚えてるってことですか？」

なぜか僕が自慢気に大きく頷いた。

「〈プーケ〉で働いてますけど、やっぱり顔を覚えるのは大変ですよ。その点、サクラは完璧に覚えるんですよね。あのマスター、犬みたいですごいな」

「少しだけシュナウザーに似てるよな」

「うわー。次、見たとき笑っちゃいますよ」

「次？　また行こうな。〈ため息〉に。また行こうな」

「あ、行きましょう。オムライスの謎には必ず何かありますね」

身長差のせいか、僕の5歩と桜田さんの7歩は等しいと、余計なことを考えた。

いつしか会話はひとりでに進むように、ぎこちなさがなくなっていた。

その反面、正門に向かっている二人の距離感にはまだぎこちなさがあった。

眠そうに歩く学生たちを横目に手を振り別れる。このまま一緒にキャンパスを歩くことは、強気な行為に感じて、正門をくぐる彼女の背中を見送るだけに留《とど》めた。

朝日が顔をじんわり熱くする。

彼女の後ろ姿を眺めながら、もし君が寒がりなら冬は必ず温めてあげる！　と本気で考えてしまった。

少しの時間差で正門をくぐり、日傘をさす。また別の自分になり、法文坂を上がった。

前から犬を散歩させている中年の男性が歩いてくる。関大は敷地面積が広いこともあり、周囲の住民もよく通る。

実のところ、部外者は立ち入りが禁じられているが、それを厳しく取り締まっている様子は見受けられない。関大を通り抜けなければ随分と遠回りになるのだ。

キャンパスを抜けたところにスーパーマーケットがある。ネギ、大根などを詰め込んだスーパーの袋を自転車のカゴに乗せた主婦に遭遇するのは日常茶飯事だ。

登下校に通り抜けている小学生もたくさん見る。

こんな格式張らない関西大学が大好きだ。

オープンキャンパスで初めてここに来たときは心が弾んだ。

ここで何かを学びたい気持ちよりも、この広々とした空間で四年間を過ごしたかった。きっと大人になるための何かを得られると思い、猛勉強して、合格を勝ち取った。

しかし始まってみれば不甲斐ない大学生活を送ってしまっていた。勉学に励むでもなく、交遊関係を広げるでもなく、部活動に専念するでもなく。

そんな僕は桜田さんと出会った。

違うホームの電車に乗り換えるように、進む方向が大きく変わり始めていた。

朝日を遮る日傘。こんなものをさしている自分に少しの違和感を抱き、文学部の校舎に入っていった。

昼休みは山根と食堂で過ごした。

黄色に黒のドット柄のロンTで、チーターみたいだった。どこで売っているのだろう。この服も彼女と選んだのだろうか。

いつも通り、タルタルチキンカツを頬張る。

「山根の彼女ってどんな子なん？」

「うーん……虹みたいな人ねん」

「虹？」

「彼女を見かけると、虹を見つけたときみたいに誰かに言いたくなるねん」

正しい大阪弁を使う山根。

「それって前から思ってたん？」

「いや。今聞かれて、ふと、思ったねん。虹みたいやねんって」

感嘆の息が漏れた。

「これからもその気持ちは続くん？」

「それはわからないねん。いつか消えてしまうかもしれないねん。虹みたいにねん」

至って冷静な山根は、いつもより豪快にタルタルチキンカツにかぶりついた。

「なー、いつか、彼女に会わせてや」

「え⁉　ええねんかい⁉　ずっと、こにっしゃんに会わせたいと思ってたねん。一応、気を遣って、そんなことは言えなかったねん。じゃ今度、大分から連れてくるやねん！」

「なんの気を遣うねん。じゃ、会わせてな」

恋人の前で山根がどんな立ち振る舞いをするのか、期待を抱いた。


次の日の夜。〈めめ湯〉のバイトは、一人体制。一人体制のときに比べると、断然、陽気な気分で銭湯に向かえる。

「おはよー、そして、こんばんは。おまはん、一昨日《おととい》のことさっちゃんに感謝せえよ？」

「もちろんですよ。あっ、僕の給料から、さっちゃんに払っといてください」

「ええがな、ええがな。わしが払う。そんな厳しいバイトやないっちゅうねん」

女風呂の脱衣場でさっちゃんがズボンの裾を捲《まく》りながら笑っていた。

よれよれの白Tシャツを着た佐々木さんはいつも通り、嬉しそうな後ろ姿を見せて帰っていく。

男風呂の洗い場の清掃から始める。

無駄話をしながら、粉石鹸を撒《ま》き、さっちゃんがブラシで擦《こす》る。しばらくすると、粉石鹸がなくなった。

「あっ、粉石鹼なくなったわ。確か、女風呂のとこあったよな？」

「あるで、入ってすぐのとこ」

「おっけー」

謎の上機嫌で洗い場を小走りした。

それがダメだった。

何歩目だろう？

さっちゃんがブラシで擦り終わった部分は泡だらけだった。

僕の足の裏は、泡で見事に滑り、小走りの勢いも手伝って、全身が宙に浮く。

おや？　と呑気《のんき》に異変を感じる。

洗い場の端から、さっちゃんがこちらを見たのがわかった。

「いやー！　危ない！」

さっちゃんの、悲鳴のような声が聞こえてきた。

それとほぼ同時に、尻に強い衝撃が走る。

「小西くん！　ヤバいって！　小西くん！」

さっちゃんの声。

目を開けると、泡にまみれていた。

さっちゃんがどこかに走っていく。

服が濡れたことを残念に思いながら、立ち上がって湯船の縁に腰かけた。

しばらくすると、佐々木さんが急いでやってきた。走っている姿が新鮮で笑ってしまった。

「おい！　大丈夫か⁉　……何笑っとんねん」

「あ、大丈夫です。思いっきり転《こ》けただけです」

「なんやそれ。さっちゃん、必死なっとるがな。おーい！　さっちゃん、もう大丈夫や！」

「大丈夫ちゃうって！　もう救急車来るから！」

〈めめ湯〉の入口の方から聞こえてくる、さっちゃんの声に驚く。

「え⁉　救急車⁉」

「おーい！　ほら、大丈夫や、こやつ転けただけやぞ」

「アカンって！」

さっちゃんの声が銭湯に響き渡った。

顔についた泡を洗い流し、佐々木さんが持ってきてくれたタオルでズボンを拭いていると、救急車のサイレンが聞こえてきた。

「え⁉　嘘やろ⁉　おれ大丈夫やで！」

ことの大きさに、冷や汗が出てきた。

「ほんまに呼んでたんかいなー。あーぁ、深夜に、こりゃ近所迷惑やで」

佐々木さんがさっちゃんには聞こえないように困ったような声を出した。

サイレンの音が大きくなり、音が止まると、必死の形相をしたさっちゃんが、数人の救急隊員を連れて入ってきた。

すでに立ち上がっている僕を見て、さっちゃんが大声を上げた。

「もう立ってるやん！」

救急隊員は「一応、座ってください」と、問診と検査を始めた。

無傷を訴える僕を無視するように、氏名、生年月日を聞いてくる。

転倒したときの状況説明、左右の足で片足立ちをそれぞれできるかの確認、ペンライトで目、耳、鼻を検査、血圧も計測した。思ったよりも長い時間をかけた末にひと言、「大丈夫です」と、帰った。

さっちゃんは救急隊員に何度も謝っていた。

「私の方から見たら、小西くん、湯船の縁に思いっきり頭を打ったように見えて……対処の仕方なんてわからんし、スピードが命やと思ってすぐ救急車呼んで、佐々木さんに報告して。早とちりして、ほんまごめん」

「いや、むしろ、さっちゃんありがとうやで！　だって、もしほんまに頭打ってたら大変なことになってたしなー。命って、一分一秒を争うやん。それにしても救急車って来るの早いんやなー。数分で来たよな!?　それにびっくりしたわ」

「まぁ、おまはん、ちょっとは頭を打った方が良かったんちゃうか。あははは。ほな、お二人さんあとはよろしくー」

佐々木さんは、楽しそうに笑って、帰っていった。

さっちゃんの目のふちからこぼれそうな涙。

もしかすると、それに気が付いた佐々木さんは、気を利かせて帰ったのかもしれない。

「ほんま、私から見たら、死ぬ人の転け方やったもん」

「さっちゃん、ありがとう」

「『どういたしまして』って、言われへんわ。私、『ありがとう』って言われたら『どういたしまして』って返すのがモットーやのに……」

「大事にするべきモットーやな。おれのおばあちゃんも言ってた！　二つで一つの言葉やって。よーし！　掃除しよ！」

気を取り直して清掃をしたが、最後までさっちゃんは言葉数が少なかった。

外に出て、ポストに鍵を入れると、いつもの金属音が響き渡る。

僕は大袈裟に両耳を塞ぎおどけたが、逆効果だった。

「鍵の音、さっきの救急車のサイレンより断然、静かやわ」

「いや、そうゆうつもりでやったわけではなかったんやけど……。さっちゃん！　約束のご飯行こうな」

「こんな早とちりな私と行ってくれんの？」

「もちろん行くよ。しかも2回な」

「良かった。私、いい店知ってるからそこ行こうや」

「おぉ」

少し元気を取り戻したさっちゃんに挨拶をして別れる。

深夜の住宅街をゆっくりと歩く。とあるアパートの一室から明かりが漏れていた。大学生だろうか、酒を飲んで盛り上がっている声が聞こえてくる。きっと誰かの下宿先の部屋が、溜まり場になっているのだろう。

自分のアパートに着き、外階段を上る。扉の薄いピンク色は、月明かりでより淡く見えた。部屋に入り、浄水器つきの蛇口から水を飲もうと、食器棚からコップを取る。同じコップが6個もある。

下宿先がここに決まったとき、何人もの友達が集まり、夜な夜なふざけ合ったりするのだろうと思い描いていた。そのために用意していた6個のコップ。本当は自分も騒ぎたかったのかもしれない。

現実、下宿先には山根しか来ない。

現実、深夜のバイト先で転けて、救急車を呼んで、少しの騒動。

少々、物足りないが、性に合っていた。

朝、目覚めると、身体はいつも通りで、昨晩派手に転けた影響はどこにもなかった。

ここ数日間のジョギングは普段の倍近くの距離を走っていた。目的は、体力をつけることよりも、身体を疲労させること。そして寝つきを良くすることだった。

眠りにつく前、どうしても桜田さんのことをあれこれと考えて、寝返りの回数を増やしてしまい寝つきが悪かった。疲労を利用して寝始めてからは、すぐに夢の中だった。

5月末の朝の空に浮いているいくつもの雲は、芸術家が配置を決めたように洒落《しゃれ》っ気を感じさせた。

昼休みは山根と芝生《しばふ》広場で過ごした。

売店でカップ麺とおにぎりを買う。カップ麺にお湯を入れ、蓋が開かないように親指で押さえながら、左手で慎重に持つ。その小指にはおにぎりを入れた袋を引っかけている。右手にはあえて何も持たない。無駄な美学。広場に着く頃にちょうどラーメンが出来上がる。

売店から芝生広場への距離が絶妙なせいか、ここではカップ麺を食べている学生が多い。

麺をすすって、おにぎりをひと口食べる。これを交互に昼食を楽しんだ。

「こにっしゃん、ミキちゃんが大阪に来ることとなったやねん。再来週やねん」

「ほんまに⁉　楽しみやなー」

「電話でいつもこにっしゃんの話をしてるねんから『私も会いたい』って楽しみにしてたやねん。

わしらがいつも食べてる、タルタルチキンカツとでっかいカレーパンを食べてみたいらしいやねん」

二人で、山根の彼女に関大の中を案内する。〈ため息〉にも行けるかもしれない。桜田さんも誘えるかもしれない。山根と桜田さんは必ず気が合う。考えるだけで心が躍った。

山根と別れて、日傘をさして授業に向かう。

上半身裸でベンチに寝転んでいる学生。練習に励むコーラス部。サークル仲間でトランプ。繋いだ手を見ながら話す恋人同士。落語の稽古をしている落研。外国人留学生同士が立ち話。様々な光景。

そのとき、前からこちらに向かってくる見慣れたシルエット。

脇道に入り、日傘で顔を隠し、覗き見る。

ついに、一人で歩く桜田さんをじっくりと見ることができた。まるで珍獣扱い。

やはり彼女は一人ざる蕎麦女である。

なぜ、それほどに威厳のある歩き方ができるのだろうか。

なぜ、少しもうつむかない。

一人でいるものといえば、上半身裸で寝転んでいる学生。彼は少し個性的なのだ。だから孤独でも平気なのだ。そして、日傘をさす男。

それに引き換え君は、カジュアルな普通の女の子じゃないか。

なぜ、そんなに胸を張れるんだ。

もし彼女が、少しでも気弱そうに歩いていれば、声をかけられた。しかし君は闊歩《かっぽ》していた。

僕は日傘で自分を守っていた。合わせる顔なんてなかった。

桜田さんが通り過ぎるのを待ち、脇道から出る。

後ろ姿を少し眺めて、日傘で身を隠して、校舎に向かった。


次の日、金曜日の朝、クローゼットを眺めて、いつもより時間をかけて、服を選んだ。といっても、紺と白のチェックの長袖《ながそで》シャツ。いつもの黒パンツ。白ハイカットオールスター。代わり映えしない。

玄関を出ると、雲一つない天気。

祖母は雲一つない青空を見ていつも不思議そうな顔をしていた。


「不思議だね」

「なにが?」

「雲が一つもない日ってたまにあるやん。その空って、いつも同じ空と思いきや、初めて見る空! って思うんよね。きっと、青の色味が違うからやな。人って、生きた日数だけの種類の空を見れるんよね。贅沢《ぜいたく》やなー」

空を見ることを贅沢と捉えていた祖母は、僕にとって自慢のおばあちゃんだった。

二時限目の〈社会心理学〉の授業に向かう。

日傘をたたみながら大教室に入る。真ん中辺りの席に桜田さんがいた。

自分の胸から響いてくる鼓動に気付かない振りをする。澄ました顔で、斜め後ろから挨拶をすると、少し驚いた顔をした。

〈プーケ〉に忘れた傘をこの授業で返してもらう。この約束のせいで、ここ数日間は落ち着かなかった。しかし彼女の様子からは、この授業に僕がいることを気に留めていなかったことが窺えた。

そのまま横に座る。

「あっ。傘忘れました」

首を横に振り、気にしていない様子を取り繕う。

やはり、彼女の頭の中に占める僕の割合は極めて少ない。

チャイムが鳴り、教授が入ってくる。

桜田さんはこちらを覗き見するように尋ねてきた。

「あのー、これって聞いていいかどうかわからないんですが……〈プーケ〉でも思ったんですが、それって日傘ですか？」

丁寧な前置きをした彼女。

僕は迷うことなく、頷いた。そして日傘をさす理由を丁寧に話した。

それに耳を傾けてくれていた彼女の第一声は予想外だった。

「私の髪と同じですね」

固まった僕に、彼女も同様、丁寧に話してくれた。

「この髪型もその日傘と一緒で盾です。真っ直ぐな前髪、大きいお団子。こんな髪型の人、絶対に友達多いですすよね。大学生活満喫してますよね。この髪型だったらキャンパスのどこでも一人っきりでいられるんです。一人ぼっちと思われたとしても、こんな髪型をしてる人は絶対に他の場所に友達がいますよ」

桜田さんはこの髪型に頼って、一人ざる蕎麦女になれたのだ。

彼女もまた一人で過ごすキャンパスと戦っていた。

「まぁ日傘の方が、ヤバめですけどね。そこまで思い詰めている人だなんて、意外でした」

「思い詰めてはないで。多分」

軽く否定をする。

「でも、日傘の効果、わかるかも。私、大学に通い始めてから雨が好きになったんですよ。雨の日がなんか楽しいというか、気楽というか」

雨の日だけ通る、屋根のあるルート。僕だけの道に彼女は現れた。

「私、雨の日は傘だけじゃなくて、長靴を履いて雨を防御するんです。あと、裏道を通って屋根の下を歩く。それがなんか雨に対して無敵な感じがして楽しいと思ってたんですよ。でも今、わかりました。傘だ。青い傘で周りの視線を防御してたんですね。髪型と傘で、雨の日の私は無敵です」

僕らにしかできない会話。

「でも青い傘やめようかな」

「え？　なんで？」

盾を手放す余裕があるほど君は強いのか。

「雨の日だけを楽しいとか気楽って思いたくないんです。晴れの日も曇ってる日も毎日楽しいって思いたい」

「ん？　というと？」

「今日の空が一番好き、って思いたい」

彼女の口から発せられた言葉が鼓膜を震わせて、脳に伝達されると、僕は大教室の中心で立ち上がってしまい、平仮名一文字を大声で張り上げた。

「え⁉」

大教室に、空気の僅かな震えが聞こえるほどの静寂が訪れる。

教授が「どうしました？」と聞いてくる。

返事をする余裕もない。誤魔化す機転も利かない。

これ以上の物音を立ててはいけないと、おもむろに座った。

それがまた不気味である。

教授は何事もなかったかのように講義を進める。それと同時に元のざわめきが戻った。

桜田さんの方を見る余裕もなく、前だけを見つめていた。

近くに座る学生たちからすれば彼女は、授業中に声を張り上げる奇行を起こした人物の仲間である。少しでも話せば、確実に注目される。

それがわかっている彼女は、身動き一つ取らず、冷ややかな視線が落ち着くのを待っているようだった。

どれほど黙っていただろう。

周囲の学生は、もう僕らに視線を向けていない。

「ごめん」

小声で謝る。

「何があったんですか?」

雑談する学生たちの中では最も小さな声。

「『今日の空が一番好き』って言うから。その言葉、おばあちゃんに教えてもらってん。僕にとって大切な言葉やったから」

「うそ。すごい。私はお父さんに教えてもらった。私にとっても大切な言葉。お父さんは『毎日、空を見ろ』って。『今日の空が一番好きって毎日思えたら、さちせだ』って」

「……さちせ」

言いたくなる言葉。口と耳に馴染む。

「『今日の空が一番好き』って誰かの言葉なんですかね?」

「いや、これは僕のおばあちゃんの言葉。ほんまにたくさん教えてもらってん」

祖母の言葉は全て独自のものだった。

春のお彼岸に祖母は決まって、おはぎを作ってくれた。特製のあんこは歯応えがありながらも、舌触りがなめらかだった。

「おばあちゃんー、これは、つぶ餡《あん》? こし餡?」

「自分で決めたらいいねんよ。つぶ餡やと思ったらつぶ餡。こし餡やと思ったらこし餡。何事も自分が感じたままで。考えるな、感じろ。……あちょー!」

祖母が突然、奇声を上げ、僕は呆然とそれを眺めていた。

「『考えるな、感じろ』はおばあちゃんのではないから。ブルース・リーのお言葉です。世界中の人が知っとるよ」

それは、今まで祖母がくれた数々の言葉が、祖母自身の言葉であることを証明していた。

世界中で僕だけが知っている。その言葉を桜田さんも知っていた。驚異的である。

「私もたくさん教えてもらった。空に関連した他の言葉は、『元気が出ないときは夜空を見ときなさい。いずれ明るくなるから』って」

胸が締めつけられる。祖母から言葉をかけられたときと似ていた。

「僕ら、違う家族やのに同じ言葉を教わってたんや。これって偶然っていうより、驚異的やん」

「……そうですね」

僕らは本当に〈驚異的な友達〉なのかもしれない。

余韻に浸るように、僕らはしばらく黙っていた。

不意に、桜田さんがありきたりな質問を投げかけてきた。

「趣味はなんですか？」

彼女の思惑がわからず、目を見ながら黙ってしまった。

「私たちは大きな発見をしたばかりです。なんというかこれ以上の発見はなさそうです。語弊があるかもしれませんが、何を話したらいいのかがわかりません。だから、初歩的なことを聞いたんです」

彼女の言う通りかもしれない。

小さく頷き、「ジョギング」と答えようとしたが趣味と名乗るには浅かった。

「桜田さんは？」

「洗濯機の中にある、ゴミを取るネットわかります？」

「あの二つあるやつ？　一つのもあるか。ついてないのもあるんかな。ちなみに僕のは二つやわ」

「それです。あれって埃たまるじゃないですか？　それを取るのが趣味です」

彼女の目の下にシワができた。

「幼稚園のとき、初めて埃の塊を取らせてもらって感動したんです。その日からあのネットは私のもの。でも高校生になって洗濯機を買い換えるとき、お母さんと妹と店に行ったらドラム式洗濯機って、ネットがついてないんです。二人とも『別にええやん』、みたいな感じやったんですけど、譲りたくなくて。結局、最新型ではない縦型洗濯機にしてもらって、まだ埃を取り続けてます、私」

彼女はこれを話したくて、趣味を聞いてきたのかもしれない。

「基本的には一週間に一回取るんです。でも、やっぱり、ごっそり取りたいやないですか？　バスタオルはたまりやすい。そういえば、一ヶ月くらいためたことがあって、パンパン、二つとも。そしたらお母さんが取ったんです。あのときのショックはマジで計り知れなかったですよ。ドミノドミノ、まさにドミノ。完成直前に全倒しのドミノ、ドミノです。私の趣味わかってくれました？」

大きく頷いた。

「ほんまですか？　私、こうゆうことを話して『なんやそれ』とか『どうでもええ』とか大阪人特有のツッコミ的なことを言われたらすごく冷めるんです。友達になれないって思うんです。私こんなんやから、大学に友達できへんかったんかも。相手を探ってしまう。なんか自分が面接官みたいに。前、テレビの最大音量の話したときも、肯定してくれましたよね？」

そのような覚えはなかったが、それを訂正するつもりはない。

「実は、僕の実家に鳩時計があるんやけど、その鳩の頭に埃が積もってるねん。一時間に一回しか出てこないのに」

桜田さんは両手で口を押さえたまま声を出した。

「それ取りたい」

「アカンねん。我が家のルールで鳩の頭の埃は大切にしてるねん。おばあちゃんが言い出した」

「おばあ様と握手したい」

「もう死んでるけど」

舌先を出した彼女が悪戯っぽい笑みを浮かべた。

「母子家庭にもこれくらい遠慮なしで来てください」

控え目に笑い合い、なんの気なしに椅子の背にもたれた。

それだけのことが新鮮だった。居心地の悪かった大教室で僕は初めて椅子の背に寄りかかった気がした。

たったそれだけのことに驚いていると桜田さんが聞いてきた。

「あのー、日傘のことって聞いて良かったんですか？」

「……正直、人を選ぶと思う。桜田さんやから平気やった。でもどこかで、関大生全員に知ってもらいたい気持ちはあるねん」

日傘をさして歩いていて、グループとすれ違い、離れてから「あの男、日傘さしてたな」と笑われる分には抵抗はなかった。むしろ本望である。少しだけ変な学生に見せかけて、一人っきりが似合うようにしているのだから。

ただ、すれ違いざまに「男で日傘って珍しいな」と聞こえる距離で言ってしまう学生がいる。そんな人間に、盾なしでは一人でキャンパスを歩けない学生がいることを理解してもらえるとは思えなかった。

「ふと思ったんですが、もしかして〈ため息〉のオムライスのことって、これくらいの感じなのかもしれませんね」

「これくらいの感じ？」

「聞かれたくないわけではない。実はお客さん全員に言いたいって」

「そうかも。あそこに〈オムライス〉って貼り出してるんやもんな」

それぞれの盾。僕は日傘。桜田さんは髪型。マスターはオムライスなのかもしれない。

それを調査したいという言い訳を頼りに僕は、卑怯《ひきょう》な誘い方をした。

「明日の朝、〈ため息〉行って、マスターに聞いてみようかな」

「いいですねー。私も行っていいですか？　私もマスターに聞きたい」

見るからに、彼女の眼中に僕のことはなく、〈ため息〉への好奇心に火がついていた。その事実を受け止めて、ゆっくりと頷いた。

前回と同じ時間に正門で待ち合わせをすることにした。

至るところで雑談している学生たち。

僕らのこれほど濃い会話も、やはり、離れて聞くとただのざわめきに過ぎないのだろう。

授業が終わると、桜田さんは「では一番に」と、早々と教室をあとにした。

下校時、法文坂のど真ん中にサクラが夕焼けに照らされて寝ていた。ベージュ色の毛が赤く染まって炬燵《こたつ》のヒーターみたいだった。起こさぬように横を通り過ぎると、目を開け、尻尾を思いっきり振りながら飛びついてきた。すっかり客として覚えられた。負けじと抱き締めて撫で回した。

今夜はバイトがあり、それまでの時間はジョギングをして、家でテレビを見ていた。

世界の衝撃映像をまとめた番組。見始めはどの映像も刺激的だった。しかしいくつも見ていると、どれも似ていると感じる。やや飽きてきたところで、音量を少しだけ上げてみた。わずかに大きくなる音。

さらに上げる。少々大きいと感じながら、それに耳を慣らし、また上げる。目盛りはまだ半分にも達していない。ここで、奇襲攻撃に出る。右膝をつき、リモコンを銃のように持ち、音量ボタンを押し続ける。目盛りはどんどん右に進む。ますます大きくなる音は部屋の隅々まで行き届き、充満する。目盛りは半分を超えた。音は外に漏れているに違いない。

桜田さんは言った。

「音って、大きすぎると怖いですよね」

まさにそうだった。うるさいと感じるよりも、怖い。テレビが怒っているようだった。

使命感で、ボタンを押し続ける。目盛りは残すところ三分の一。ここで世界の衝撃映像はタイミング悪く工場の爆発映像。爆発までのカウントダウンが始まる。5秒前、4、3、2……

咄嗟にテレビを消した。

大きい音が怖かった。

結局、最大音量に達することはできなかった。

舌打ちをすると、一人っきりの部屋に潤いのない音が響いた。

自分の体勢は左膝を立てて、リモコンを銃のように持ったまま。

くだらなくなり、リモコンをベッドに向かって投げた。しかし、腕が力んだ。リモコンは思っているよりも高く飛んだ。

「やばっ」

どうすることもできないままリモコンを眺めていると、ふんわりと天井に当たった。そして、急遽軌道を変えるように直下した。それを布団が包み込むように優しく受け止めた。

「良かったー……」

真っ黒のテレビ画面に映る、ひと安心している普通の男。

「……おれ、何してんねん……」

我に返る。すると、笑えてきた。そして笑った。

笑いが止まらなかった。息もできない。自分が笑っている理由が具体的に見えてこないが、どんどん笑えてくる。テレビ画面に反射する自分を見て、また笑う。これを繰り返す。少し落ち着きを取り戻し、冷蔵庫からお茶を出して、飲む。しかし口に入れた瞬間にみぞおちをくすぐられる。お茶は喉を通ることができない。それがまた追い討ちをかける。無理矢理お茶を喉に流し込む。しかし腹の底から湧き上がった圧力がお茶を押し上げた……。

鼻から出たお茶をティッシュで拭く。

窓に目をやると、自分がぼんやりと映っていた。その顔を見て、また笑った。


深夜0時、〈めめ湯〉。

「おはよー、そして、こんばんは」

佐々木さんのいつもの挨拶。

先に着いていたさっちゃんがズボンの裾を捲りながら、救急車の件を謝ってきた。

「気にすることやない」

そう言って佐々木さんがご機嫌な後ろ姿を見せて帰っていくと、さっちゃんが習慣のように言った。

「さぁ、やろか」

居心地がいい。

さっちゃんと銭湯のアルバイト、山根と過ごす昼休み、桜田さんと並んで座る大教室。これらが僕にとっての居場所かもしれない。

慣れた清掃を始める。

「さっちゃんさー、テレビの音量を最高まで上げたことある？」

「ないよ。あっ、小さいときにふざけてしようとしたことはあったかも。なんでなん？」

「さっき一人でやった」

「アホやん！」

その結果、鼻からお茶を出した経緯を、清掃の手を止めて話した。

男風呂に反響するさっちゃんの声。

「友達がなー、いつか最大音量にしたいって目標があるらしいねん。挑戦してみてって言われて」

「アホやなー、そいつ！　いつもの山根って友達？」

「違う。これがなんと女の人やねん」

「そんな目標ある女の人おんの？　もしかして、その人のこと好きなん？」

「いやいや、そんなんじゃないよ」

大きな手振りをつけて否定する。

「いや、絶対に好きやん。だってな、言われたことを実行してるもん」

「だからって好きとは限らんやろ」

「ほな、私が言うてたスピッツの『初恋クレイジー』聴いた？」

見事に忘れていた。

「もー。いつになったら聴いてくれるん？　ほんまに最高やのに。歌い出しまでの前奏が脳天を痺《しび》れさせるねんで」

「今度、聴く聴く！」

「いいや、どうせ聴かへんよ。だって小西くんは私のこと興味なしやから、聴かへんねん」

「いずれ、ほんまに聴こうかなとは」

「無理せんでええよ。で、その人とはどんな感じなん？　付き合えそうなん？　いつから知り合いなん？」

「そんなん全然わからん。仲良くなったのは一週間くらい前かな」

「めっちゃ最近やん！　いい感じになれたらええのにな。ってか、手動かしいや。喋ってばっかりやん」

そう指摘すると、ホースで水を足にかけてきた。軽やかに避けて、笑みを浮かべながらさっちゃんの方を見た。しかし僕には目も向けず、ホースの先端から出続ける水を眺めていた。タイルにかかる水が散って、さっちゃんの露《あらわ》になっている足首にかかっている。そのまま足の裏をタイルに擦るようにして、呟いた。

「私も盛大に転けたろかな」

「今度はおれが救急車呼ぶわ」

「うっさい」

ホースを持つ手を変えたさっちゃんは作業を始めた。それにつられて僕も黙って働いた。桜田さんとの明朝の約束のために、いつもより迅速に掃除をした。無駄話もしなかった。黙々と作業を進めて、いつもより早く終わらせた。外に出て、鍵を空のポストに入れると金属音が鳴り響いた。

「ほな、お疲れー」

さっちゃんに手を振る。

「うん、お疲れ。あっ小西くん。もし失恋したら、私が拾ったるわ」

「え?」

「めっちゃ焦ってるやん」

さっちゃんが短く笑った。

「さっちゃん、変な冗談やめてや」

「なんて言ったらいいんやろ。マジやで。私な、ほんまは小西くんのことアレやねん。アレ。言わんでもわかるやろ？　恥ずかしくて言われへんわ。この雰囲気の感じ。まさにそれやん。ずっと前からそうやってん。これ伝えるのってめっちゃ緊張するし、しんどいし、恥ずかしいし。一番恥ずかしい。恥ずかしいせいで何かを逃すってめっちゃもったいないよな。とにかく恥ずかしくて、だからこの気持ちバレへんようにしててん。この前、小西くんから『さっちゃんさまー』って電話かかってきたとき、めっちゃ嬉しかったもん。力になれたことが嬉しかった。私、あのときちょっと変なテンションじゃなかった？　早い話、はしゃいでてん。アホやろ。私な、もし小西くんがこの気持ちを少しでも知ってたら、その人のこと好きにならんかったんかなって思ったら、めっちゃ後悔して。さっき掃除中、ずっと後悔。その後悔を掃除したかったわ。……今、こんなんいらんか！　ごめんごめん。こんなときになんかふざけてまうのもアカンのやろな。だって気まずいやん。気まずいっていうことがまた気まずさ生むよな。あーぁ。一週間前に言えば良かったわー。その人と仲良くなる前に私の気持ちを少しでもわかって欲しかった。今さら突然やめてーなって思ってるやんな？　ごめんな。あ！　でも私、小西くんとその好きな人が付き合って欲しいってほんまに思う。小西くんって女々しいとこあるやん。だから隠しすぎも良くないってことを知って欲しくて。私みたいになるで。あと、ざっくばらんに仲良くなりすぎも良くないんかも。もし、私らの会話がもう少しぎこちなかったら色恋沙汰もあったんちゃうかなって。色恋沙汰って変な言い方か。でもこれは言い訳やな。私は一方的にアレやって、でも小西くんは私のこと一ミリもそうじゃないし。これは嫌味で言うてるんじゃなくて。ほんまに、その人と結ばれて欲しいねん。だから、教材的に私を見てくれたらいいなって思って。教材的にな。教科書やと思って。そもそもなんで小西くんのことアレなんやろって考えたら、理由なんて特になくてな。人を嫌いになるときは理由ってあるけど、好きになるときは理由なんてないし、いらんやん。あ、小西くんの見た目は好みかも。私が今、小西くんのことをアレって言うてるのは、付き合って欲しいから言うてるんじゃないねん。それはほんまに信じて欲しい。むしろ、もし、ありえへんけど今、小西くんが私と付き合うって言ってくれたとしても断るもん。ほんまに。強がりとかじゃなくて、ほんまに小西くんがその人と結ばれて欲しいから言うてるねん。私、『好きな人の幸せを祈りたい』とか、そんなんじゃないで。そんな綺麗事ではおさめられへんわ。やっぱ好かれたいよ……目の前にいる女々しい人に。なんやろ？　ただ、参考にして欲しいねん。私の失恋を。失恋っていうたら重いか。私の事例を。事例ってなんやねん！　ほんまに今、小西くんを口説き落とそうとか思って言うてるんじゃないから。言いたいことは、好きな人と仲良くなりすぎてもアカンし、気持ちを隠しすぎてもアカンってこと。突然、告白なんかされたら、ビックリする気持ちが勝つねん。現に今、小西くんビックリしてるやろ？　私の頭がおかしくなったんちゃう？　とすら思ってるんちゃう。だから私みたいな告白はアカンねんで。だから教材にしてって言うてる。ってか、これ告白じゃないから。言うときたかっただけやねん。なんやねんいまさらって感じやんな。ほんまごめん。ほんま突然ごめん。ほんまその好きな人と頑張って欲しい。私を失敗例やと思って。こんなタイミングで告白したらダメ、こんな方法で告白したらダメ、まぁこれは告白ちゃうけど。こんなたくさんの言葉で告白したらダメ。もっと端的に！　長々言うたらアカンで。私みたいに同じこと何回も言うたらアカンで。シンプルやで！　単純にあの言葉だけを伝えたらいいねん。でもなー、助走がなかったらあの言葉は伝えられへんわ。やっぱりあーだこーだ言ってからじゃないと、あの言葉は伝えられない。だってめっちゃ重い言葉で、めっちゃ恥ずかしい言葉。読み方を変えて言うたろかな。小西くんを、こ、の、き、ってこと。もうわかったやろ？　ってかすでにわかってたか。ってか、今の言い方、気持ち悪かったな。ってか、今まで私の気持ち、気付かんかったん？　小西くんが遅刻した日も心配したし。転けただけで、私、救急車、呼ぶとかアホやん！　心配しすぎやん。それでも私の気持ちに気付かないって鈍感すぎるで。小西くん、にぶすぎんねん！　腹立つわー。……ごめんごめん。ほんまごめん！　今の忘れて。私、何が言いたいんやろ。あっ、ほんまに告白するなら、単純にあの言葉だけでええねんで！　あ！　なんやったら、その子に告白するときにこっそり覗き見してチェックしたろか？　どうする？　っていらんか！　ほな、教材は帰ります！　今帰られたら、次会うとき気まずいやんって思ってるやろ？　大丈夫やで、私めっちゃ普通にするし。ほんで、せめてなんか言わせてって思ってるやろ？　でも結局、何言うたらいいかわからんやろ？　言葉見つからんやろ？　心ここにあらずやろ？　だってさっき街灯の周りを飛んでた蛾《が》見てたやろー。気付いてるで！　怒ってるわけちゃうよ！　でも私、知ってるから！　小西くんが私に全く興味ないこと。だって、小西くんって私の名前知ってんの？　なんで、さっちゃんっていうか知ってるん？　私は小西くんのフルネーム知ってるで。小西トオルやろ。徹夜の徹で、トオル。いつやったかな？　私が小西くんに『そういえばフルネームなんなん？』って聞いてん。ほな、小西くん、『小西徹』って教えてくれてん。でも私の名前聞き返さへんかってん。このとき、小西くん、ほんまに私のこと興味ないんやなって思った。私の苗字も名前も知らんやろ？　小西くんにとったら、私は、さっちゃんでしかないんやろ？　ごめん。めっちゃ悲しいわ。なんか私、無茶苦茶じゃない？　一方的に小西くんを好きになって、困らせてるって。でも一つだけお願いやねんけど、今の私を迷惑やとは思わんといてな。さすがにそれはツラいかも。失恋よりツラいわ。だから失恋いうたら重いよな！　……ってか私はなんでいつもこうなんやろ。その場の流れに身をまかせてしまうというか、楽するというか、小西くんとの仲の感じが楽やったから、流れを変えずにこのままいったろ、みたいな、これがアカンかったんやろな。私いつもこうやねん。高校入学した時もさ、最初のクラスで一人ずつの自己紹介あるやん。あの時もさ、名前とか入る部活とか趣味とか言うやん。『趣味は音楽を聴くことです』って私、胸を張って言える趣味があるのにさ、私の前が5人連続で『趣味は特にないです』って言うたからさ、私さ、『趣味は特にないです』って言うてもてん。ヤバくない？　もうほんまに、これだけのことが悔しくてさ。今後、絶対に流れに身をまかせへんって決意してたのに、結局またこれやん。小西くんとの仲の感じに身を任せてた。ってか、私、なんの話してんねん。自分の話をし過ぎよな？　ごめんな。ってか、こうゆう謝罪はダルいよな？　ごめんな。私、普段、女々しくないのに、こうゆうことはアカンわー。うわー。私また返事しにくいこと言うてるやん。ほんまごめん。なんでやろ？　……伝えたい言葉は一つだけやのに、めっちゃ長くなってる。……でもありがとう。あ！　スピッツの『初恋クレイジー』、もう聴かなくていいよ。なんか恥ずかしいわ。聴かれるの。私の歌ちゃうけど。普通に考えたら、私が携帯で聴かせたらいいだけやのにな。ただ、私がいないところで、私のこと思い出して、聴いて欲しかっただけ。もう小西くんのこと好きちゃうから安心して！　好きになってごめんな。あっ、好きって、言うてもうてるやん。さりげなく言うてもうてるやん。ん？　すでに何回か言うてもうてたかも。まぁええわ。ほんまに小西くんのこと好きでいて、楽しかったかも！　寝る前とかウキウキできたし。あ、ご飯ご馳走してくれる約束、もういいからね。具体的な日を言うてくれへんかったから、実現しないってわかってたし。ご飯に2回も行ってくれるって適当な約束やめてや。せっかく行く店も決めてたのに。あと、私たちって〈めめ湯〉でしか会ったことないやん？　だからご飯行くってなったら『なんか照れるかもな』的なこと言ったやろ？　あんなん言わんといて。なんか期待してもた……あー、ほんまなんかこんな自分が嫌やわ。ごめん！　私、何言うてる？私が文句を言うのは違うわ。家向こうやろ？　帰ってええよ。私、次会うときほんまに普通にするから安心して！　気まずさゼロにするから！　私、サークル忙しくて再来週までバイト入ってないし。10日以上入ってないし。タイミングええよな。こうゆうことだけ……まぁそれだけ時間あれば普通にできるし。絶対に気まずくないから。信じて！　安心して！　ほな、私から先に帰るわ！　バイバイー！」

「え？」

深夜2時、さっちゃんは走り去った。

しばらくして左に曲がるさっちゃんを見て、家がそちらの方向だと初めて知った。

別れ際、振り向いたことなんて一度もなかった。もしかするとさっちゃんはいつも振り向いていたのかもしれない。

さっちゃんは息継ぎもしないほどに話し続けた。だから返事ができなかった。この言い訳を頼りに僕は黙っていた。

せめて何かひと言、謝るべきだった。

さっちゃんの名前がわからないこと。

蛾を見ていたこと。

スピッツを聴いていないこと。

ただ突っ立って、何も言えずにいたこと。

密《ひそ》かに、「早く話し終わってくれ」と思ってしまっていたこと。

返事もせずに逃げ出したかったこと。

そして何より、さっちゃんの気持ちを受け入れられないこと。

今ならまだ間に合うかもしれない。さっちゃんに電話をして、謝るべきだ。

携帯の着信履歴からさっちゃんの番号を探す。〈山根〉の名前しかない着信履歴。ようやく〈さっちゃん〉の表示。

「え？」

僕が遅刻した日。着信音で目覚め、寝ぼけまなこで出た。あの日、僕は一体、何度目の着信で起きていたのだろうか。〈さっちゃん〉の表示は〈山根〉のあとを全て埋めていた。それは心配の大きさを形にしたものだった。

大声を出したくなる衝動を逃がすように、夜道を全力疾走し、耳に張りつくさっちゃんの言葉を風の音で掻き消した。

第三章

雷鳴

翌朝、起きてすぐベランダに出た。

単純な、青い空。昨晩の出来事が不甲斐なく、空の青さから感動を受け取る余裕はなかった。無機質な青に見える。

わざとため息をつきながら準備をする。クローゼットからシャツを選んでいると、徐々に浮かれてくる。家を出る頃には、空の青さがきめ細やかで美しかった。

正門に着くと桜田《さくらだ》さんはすでにいた。

遠目に彼女が見えるだけで満足した。深緑色のカジュアルワンピースに白のハイカットオールスター。真っ直《す》ぐの前髪。大きなお団子。

澄ました顔で挨拶をして、〈ため息〉に向かう。

「あ、また傘忘れました」

「むしろ、傘を預かってもらってることを忘れてた。そもそも最近、晴れてるし大丈夫」

桜田さんが空を見上げる。

「なんか、雲の輪郭が鉛筆でなぞったように鮮明ですね」

「青と白のコントラストがすごいな。青が綺麗《きれい》やからかな。それとも白が綺麗やからかな」

「どっちかが綺麗とかではなく、相性がいいのかもですね」

もしかすると遠回しに僕らのことを言っているのかもしれない。

解釈は自由だ。

〈ため息〉の扉を押し開けるとマスターが挨拶をしてくれる。

前回と同じテーブルにつく。朝早くからでも他に客は数人いた。

壁に貼られた変な名前のメニューの数々。変わらずオムライスだけが〈オムライス〉だ。

「どうやって、オムライスのこと聞くん？」

「注文するんです」

桜田さんが決意を固めて、マスターに声をかけた。

「何にしますか？」

キッチンから覗《のぞ》いた顔は、やはりシュナウザー犬に似ている。

「あっ、ほんまにシュナウザー……」

桜田さんは小さく呟《つぶや》き、表情を緩ませた。

「僕は、クロワッスリーで」

「はーい。クロワッサンね」

「私は、オムライスで」

「……オムライス？　……かしこまりました」

マスターのリズムが目に見えて狂った。

「……やっぱりやめます！　私もクロワッスリーで」

「はーい。クロワッサンね。ちょっと待っててくださいねー」

素早くオーダー変更に対応するマスター。

「どうしたん？　なんで？」

彼女の目と〈オムライス〉の札を交互に見ながら聞いた。

「マスター、一瞬、嫌がってるように見えて。茶化すつもりなんてないのに、茶化してるようにも感じてきて」

言わんとすることがわかり、何度も小さく頷《うなず》いた。

「頼むのはやめました」

「……頼むのは？」

「直接聞きます」

このオムライスに、僕らは翻弄《ほんろう》されている。これに翻弄されない人とは親密になれないかもしれない。

「私、昨晩改めて、『今日の空が一番好き』のことすごいなって思いました。9歳までですけど、お父さんから色々学んだんですよ」

桜田さんは斜め上を見ながら言った。

「僕、正直に言って、おばあちゃん死んだから、新たに教えてもらえることがないって思って悲しかった。でも桜田さんのお父さんから、また新しいことを教えてもらえる気がしてる」

「私は、お父さんもう死んじゃったけど、まだ学べるんです」

「どうやって?」

「お父さんの本棚です。そこにはたくさんの本があるんです。それをお母さんはそのままにしてて。私と妹に『この本棚はお父さんの選りすぐり。だからお父さんの頭の中だと思って、ちょくちょく覗きなさい』って。妹は一つ下なので、8歳のとき。その本棚にはお父さんの好きな本しか置いてないんです。しかもお父さん、それぞれにひと口メモを書いてるんです。読んで感じたことや思いついたことを。前言った、嫌いな人が困っていたら助けてあげなさい。そして、『私に助けられて、ざまあみろ』と思いなさいってのもひと口メモ。なんの本だったかな? お父さんの言葉が強すぎて、本の内容が薄れました。9歳じゃピンと来ないですよね。あの言葉。大きくなれば理解できます。本棚があって良かったー」

「お父さんすごい人やな」

吐いた息に言葉がついてきたように自然に返事をすると、桜田さんは鼻を膨らませ、満足げだった。

別のお客さんに料理を運ぶマスター。店内にホットケーキの甘い香りとコーヒーの大人びた香りが融合する。

「ごゆっくりどうぞ」

少し高くて、耳に馴染《なじ》む声。キッチンに戻るのを確認してから、僕はリュックからビニール袋を取り出した。

それを見た桜田さんは、両手で口を押さえ、漏れる声を閉じ込めた。

「洗濯機のゴミ取りネット、持ってきてもた」

マスターに聞こえぬように小声。

当然、喫茶店にこんなものを持ってくるのは非常識だ。でも特異な贈り物をして、彼女の心に僕の存在をマーキングしたかった。

「埃《ほこり》の塊、取る？」

「取ります、取ります、取ります」

前のめりで、小声で返事をする桜田さん。テンポが心地良い。目の下にシワができている。

実家にいたデン太におやつをあげるとき、「お座り、待て」と指示すると、お座りしながらも、待ちきれず前のめりになっていた。

デン太に似た行動をした彼女の頭を、犬みたいに撫《な》でたくなった。

「汚いものやし、食事前にやってまおう」

「洗濯機のゴミ取りネットの埃の塊は何度も洗われているから綺麗です。とりあえず、小西《こにし》さん、取ってみてください」

「え、いいの？」

「いいですよ」

マスターに見られないようにこっそりとネットを裏返す。たまった埃の塊が剝《む》き出しになる。

それを指で摘《つ》まみ、丸ごと取った。

「素人《しろうと》の取り方」

「これにプロとかあんの？」

「では取らせてください。プロは、まずはネットをつつきます。そうすると埃の塊とネットが離れます。ここからは一瞬です」

上部のプラスチックの部分を親指と人差し指で持ち、そのまま手首の力を抜き、一気にスナップを利かせた。一瞬で、ネットの中にあったはずの埃の塊は、テーブルの上にあった。

驚いていると、桜田さんは舌を少しだけ出しておどけた。子供がふざけているみたいだった。

キッチンからバターの焼けた香りが漂ってくる。

笑いを堪《こら》えながら、無言で片付けた。肩が揺れる。

僕らは僕らにしかできない戯《たわむ》れ方をしている。

花のキャンパスライフを過ごす学生に見せつけたくなる。そして威張りたくなった。

マスターがクロワッサンを持ってきてくれる。

「はい、お待たせしました。クロワッサンです」

中心部分を凹《へこ》ませているのか、くり抜いているのか、正方形のバターを乗せていた。とても単純で、とても贅沢《ぜいたく》なクロワッサン。

「ごゆっくりどうぞ」

キッチンに戻ろうとするマスターを桜田さんが呼び止めた。

「あのー、答えたくなかったら答えなくていいので……一つ聞かせてください」

「どうしたの？　なに？　険しい顔して」

「なんでオムライスだけ、名前が普通にオムライスなんですか？」

恐る恐る聞く桜田さん。

対してすぐに息を吸い喋《しゃべ》り出すマスター。

「オムライスをね、作るのが苦手なんよ。だからオムライスだけオムライスなんよ」

大阪弁ではない不思議なイントネーション。山根《やまね》弁とは違いなめらかだった。

「オムライスをね、注文されたくないんよ」

理解できず、僕らはマスターの顔を覗き込んだ。

「他のメニュー名を変なのにしとけば、皆、そっちを頼むでしょ？　オムライスって普通のメニュー名、言いたくないでしょ？　せっかくだったら変わった名前を言いたいでしょ」

マスターの言い分に桜田さんが指摘する。

「それなら、オムライスをメニューに入れなかったらいいじゃないですか？」

「これだけメニューがあって、オムライスがないって変じゃない？」

彼女は納得するように黒目を動かし、〈オムライス〉と書かれた札を見た。黒目と白目のコントラストの具合が今日の空と似ていた。

「それにしても、これを聞かれたのは初めてだよ」

「僕、一年前に初めてここに来て、そのときから気になってたんですよ」

「お父さんと、来てたよね？」

「え！　なんで覚えてるんですか？」

「なんとなくは覚えているもんよ。坊主頭の友達ともよく来てくれてるしね」

粋《いき》なマスターだ。

「もうこの店、50年経つんだけど、普通の人はさ、なんでメニュー名が変なんですか？　って聞くんよ。そしたら、オムライス頼まれたくないからって言うんよ。しかし、よく気が付いたね、オムライスの名前、普通なかなか気が付かないよ。メニュー、年々増えて、今となっては115品もあるんだし」

「そんなに!?」

店内にはふさわしくない大きな声が出た。

札を見回す。よく見てみると、古さが際立つ札と真新しい札がある。

「実は、この店を始めようと決めたときは二品だけ」

僕らはその二品を予想するようにゆっくりと見回した。一品は〈ブラジル黒豆出汁《だし》〉だろう。

その様子を見たマスターがさらりと言った。

「コーヒーとオムライス」

それにすかさず桜田さんが指摘した。

「オムライス？　オムライス作るの苦手なのに店始めたんですか？」

「……うーん。本当は違う人が作る予定やったんよ。でも無理になってさ……でも店はオープンするの決まってたしさ。オムライス頼まれたくないから、コーヒーを〈ブラジル黒豆出汁〉に変えて、急いでナポリタン練習して、〈ナポレオンみたいな名前の赤い毛糸みたいな食べ物〉って名前にして。それでもやっぱりオムライス頼む人はいて。まぁそのときにオムライスをなくしてしまえば良かったんだろうけど……そんなことはしたくなくてさ。とにかくオムライスを頼まれないように、料理練習しては追加して、変な名前にして、気付けば１１５品。……そんなことより！　クロワッサン冷めちゃうよ。バターの溶け具合、今が最高潮だから」

マスターはキッチンに戻った。

桜田さんは何も言わずに、すぐにクロワッサンにかぶりついた。

「違う人が作る予定ってなんやろ？　なんやと思う？」

彼女はこちらを見て、何も言わずに再びクロワッサンを頬張る。

僕もバターをのばして、かぶりつく。自家製ではないはずのクロワッサン。どこかで仕入れているのだろうか。これもまたどこでも味わったことがない絶品だった。

「普通のクロワッサンのはずやのに、なんでこんなに美味しいんやろ？　オムライスを作るのが苦手ってのが、信じられへん。どう思う？」

彼女は唇にクロワッサンの破片をたくさんつけたまま、声をひそめて言った。

「きっとマスターは誰か大切な人とこの喫茶店を始めるはずだったってこと。もしかしたら私たち、踏み込んではいけないところに入ってしまったのかもしれませんね。……とにかく今は、オムライスのことをこれ以上追求せず、ひたすらにクロワッサンを美味しくいただこうと思ってます」

鈍感だった。

桜田さんと同じ空間にいられることに浮かれていた。オムライスのことを、さらに追求しようとしていた自分がみっともなかった。

日傘を、すれ違い様に聞こえる距離で指摘してくる学生のように、僕はがさつにマスターの領域に入り込み、荒らそうとしていた。

完食をして、会計を済ませると、マスターが僕らに挨拶をしてくれる。

「また来てくれたみたいでありがとうございました。さらにまた来てくれると嬉しいです」

鈍感な僕にもいつもの挨拶をしてくれる。それに安心する。

「絶対にまた来ます」

桜田さんが柔らかい声で、強く言いきって、店を出た。

50年も続く、住宅街にひっそりとある喫茶店を背中で感じて、正門に向かった。

「私、オムライスを頼んでも良かったのかも。店出るとき、あの挨拶を言ってもらえたし。マスターに何があったのかは計り知れないけど……。お父さんがね、『残念ながら、一生消えない悲しみは、ある』ってひと口メモに書いてました。でも、それには続きがあって『一生消えない悲しみは、一生の励みになる』って。きっとあのオムライスが励みとなったから、50年も店を続けられたんだろなって。それを食べてみたいって。わがままだけど」

彼女の繊細な思考に返す言葉もなかった。

朝の空気と、衣服に染み込んでいた店内の香りが混ざり合っていた。

「マスターがオムライスは『違う人が作る予定』って言ってましたよね？　マスターが『違う人』って言ったときに、その人の、どんな表情を思い出してたんだろって」

彼女の横顔を眺めながら、声を聞いていた。

素肌でしか感じられない程度のそよ風が吹く。桜田さんの前髪を揺らすこともない、なめらかな風。

「お父さんがある日、こう言ったんです。『他人に、自分の顔を思い出してもらうとき、自分の顔が笑顔だったら嬉しいな』って。……だから思いきってマスターに、その人の顔を思い出すとき、どんな表情をしてますかって聞いてみたいなって」

ふと山根の顔を思い出してみると、見事なまでの笑顔だった。

正門に着く。

朝日を顔に受ける僕。背に浴びる桜田さん。

彼女は、繊細に、そして強い思考を持ってオムライスを追求しようとしていた。

対して僕は、興味本位でがさつにオムライスの意味を知ろうとしていた。

そんな自分を改めるためにとても軽い口調で声をかけた。

「あのさー、今日の昼休み、〈ため息〉にオムライス食べに行かへん？」

「数時間後ってことですか？」

口を結んで頷いた。

「うーん……。お昼は店混んでそうだし、ピークの過ぎた2時はどうですか？」

「そうしよ。2時に正門で。授業はないん？　僕はあるけど休む」

欠席することに迷いはなかった。

「私もサボります」

同じ意思を持っていたことに、気持ちが大きくなり、言葉を吐き出した。

「このまま一緒に大学歩かへん？」

「あー、私、生協にノート買いに行かないとダメで」

空回りした自分に顔が火照《ほて》った。

「そうなんや。じゃとりあえずまたあとでやな」

そう言って、桜田さんを見送った。

しばらくしてから僕も正門をくぐり、一人で法文坂を上った。

ついさっきまで桜田さんと過ごしていた。そして、数時間後にまた合流する。くわえて、土曜日は学生が少ない。

そう思うと、日傘をさす必要はなかった。

そのまま堂々と歩き、文学部の校舎に入った。

昼休みは山根と合流した。

今日のファッションはボーダーロンT。もちろん普通のボーダーではなく、斜めの線。白と黒で、シマウマみたいだ。

「こにっしゃん！　あら？　日傘は？」

「今日はいらんねん」

「ほぉー。まぁ食堂行こうねん！　今日は土曜日やねんからいつもよりかは空いとるねんよ。やっぱりタルタルチキンカツかい？」

「ごめん、2時から違う人と昼飯行くから、食べてる山根を見とくわ」

「そーなんねんかー。ほな、めちゃねんくちゃねん美味しそうに食べたるねん」

大声を出して笑っている山根。

『誰と行くん？』とか聞かへんの？」

「気にはならんがねんが、聞いて欲しそうやから、聞いとくねんな。誰と行くんねんな？」

「一人ざる蕎麦女《そばおんな》」

「え⁉　ほんとかねん⁉　知り合いやったねんか」

偶然授業が一緒で仲良くなったと適当に説明をすると、山根が決意を固めたように言った。

「こにっしゃんと飯に行ってくれるなんて、一人ざる蕎麦女は絶対にいい子ねん。ハッキリ言って、こにっしゃん、見た目はパッとせんやろねん。でもこにっしゃんと食事してくれるって、絶対にこにっしゃんの中身だけを見てる子ねん」

「ん？」

「わし、こにっしゃんが女子と食事とかするって聞いて、安心したねん。本当に良かったねん」

「え？」

「こにっしゃん、ファッションのセンスも良くないから女子には疎《うと》いんやろねんって思ってたねん。よく穿《は》いてる黒いズボンなんか、カラスにしか見えないねん。カラスのモノマネしとるんかいって思ってたねん。だから今まで女子の話はできるだけしないようにしてたやねん。こにっしゃんに『彼女できたことない』って言わせたくなかったねん。でも、良かったねん。わしの知らんところで、こにっしゃん、ちゃんと女子と遊んでるねん。これからはいっぱい女子の話をしようやねん」

「山根……」

言葉に詰まった。

目の前のシマウマみたいな奴《やつ》は、僕のことを下半身がカラスみたいだと思っていた。

「こにっしゃん、今から女子と飯食らえるんやろ。最高やんー楽しみやんー嬉しいやんー幸せねんーええなーわしもミキちゃんに会いてーこにっしゃんが羨ましいーミキちゃんの話すると会いたくなるねん。もう、だらしないほど好きねん」

最高やん。

楽しみやん。

嬉しいやん。

幸せねん。

山根の言葉は単純だった。

「こにっしゃん、ごめん！　わし、売店でパンでも買って、ミキちゃんと電話しながら飯食らうねん。あっ！　一人ざる蕎麦女はどんな子ねん？」

人差し指をこちらに向けながら聞いてきた。

「うーん……空みたいやな。会う度に印象が違う」

嬉しそうな顔をした山根は手を振って、携帯を耳に当てて去った。

「ミキちゃん電話出んぞねんー！」

遠くの方で、大声で嘆く。歩く度にたすきがけの鞄《かばん》が膝の裏をノックしている。鞭《むち》で打たれるシマウマみたいだ。そんなシマウマは見たことない。

山根は、いつかミキちゃんへの思いが虹みたいに消えてしまうかもしれないと言った。でも僕は、いつまでも変わらない二人でいられるだろうと思った。大分からはるばる関大に来る日が待ち遠しかった。


午後2時。日傘はささず正門に向かった。

そして桜田さんを待った。

土曜日ということもあり〈ジャポネーゼ〉の行列は落ち着いている。赤と白の縞《しま》模様の店構えが眩《まぶ》しい。

サクラは〈プーケ〉の前をうろうろしている。店から出てきた人に激しく尻尾《しっぽ》を振っている。

根拠はないが、桜田さんが10秒後に来ると思った。

しかし、来なかった。

目の前を運動部が通り過ぎる。

丸めた設計図を入れるための筒を持ち歩く環境都市工学部の学生。

警備員に案内され、ゆっくりと軽トラックを走らせる宅配業者。

変わらないいつもの光景。

また10秒後に来ると思った。

心の中で、正確に数える。

しかし、来なかった。

足元に雀《すずめ》が飛んでくる。さらにもう一羽が追いかけるようにやってきた。そして、あっという間に飛び立つ二羽。

正門にある〈関西大学〉と彫られている石碑。〈関〉と〈学〉だけが旧字体。小さな発見を楽しんだ。

図書館前の大きな階段はテニスサークルの待ち合わせ場所。

正門をくぐらず手前で右に曲がる社会学部の学生たち。社会学部の校舎だけ、正門の外にあるのだ。

犬の散歩をする近所の住民。

スーパー帰りの主婦。

下校する学生たち。登校する者はもういない。

図書館前の大きな階段にぴったりとくっついた男女が何組か座っている。

石碑の〈関西大学〉の文字がライトで照らされた。

目の前の光景を見つめては10秒を数えていた。

そんなことを繰り返していると、夜10時になっていた。

途中、〈ため息〉で待っているかもしれないと思い、店まで走ってマスターに確認したが「来てないよ。店の前にもいなかったよ」と返事された。この間に桜田さんが着いているかも⁉と全速力で戻ったが、意味のない行動だった。

目の前を通り過ぎる学生たちに素通りされている感覚。

桜田さんが来ないという展開は考えていなかった。どこかで行き違いが起きたのか、約束の勘違いがあったのか、彼女の判断なのか、真相はわからない。

最も恐れたのは、来なかったことが桜田さんの判断であること。

〈プーケ〉に行って、なめらかなおでこの店員さんに聞けば、携帯の番号を教えてもらえるだろう。しかし本人が行かないと判断した可能性が少しでもあるからこそ、行けなかった。

夕方、〈ジャポネーゼ〉の店員がシャッターを閉める様子を初めて見た。赤と白の縞模様の店構えに覆い被《かぶ》さるような地味なネズミ色のシャッター。それが、浮かれていた自分に覆い被さるこの現実と似ていた。

途中から桜田さんはもう来ないと感じていた。それでも8時間も待てたのは下校する彼女に会えるかもしれないと思ったから。ただ声をかける勇気はなかった。それはやはり本人が行かないと判断していた場合、声をかけることがどれほど不穏な空気を漂わせるかが容易に想像できたからである。

しかし結局、見かけることもできなかった。

夜10時になると、石碑を照らしていたライトは消え、〈関西大学〉の文字は見えなくなった。

それが帰るきっかけとなった。


自宅のアパートの外階段を重い足取りで上がる。薄いピンク色の扉が、ペンキを塗っただけの簡易な板に見えた。取っ手を摑《つか》み、引くと、いつもより粗悪な扉に感じた。

部屋に入り、リュックから空になったゴミ取りネットを洗濯機に戻した。

すぐにシャワーを浴び、何も食べずに拗《す》ねるように寝た。朝のクロワッサン以来、何も食べていない。


翌朝、5時半に目覚めた。することもない日曜日。すぐにジョギングに出る。いつもより速いペース。息切れがする。大量の酸素を求めて鼻で深く息を吸いながら走る。1時間ほどで戻り、シャワーを浴び、水をがぶ飲みした。

この間に行き着いた思考はこうだった。

桜田さんが来なかったのは、行き違いがあったから。それなのに8時間も待ってしまった。待ちぼうけというものは心を陰らす。

10秒後には来る！　が幾度となく重なり、8時間になってしまった。10秒が積み重なった8時間が僕の食欲を減らし、拗ねさせた。

よって、今回の一件は、待ち合わせ時間の食い違いという些細《ささい》な出来事。そんな些細なことを8時間も放置し、腐らせ、大層なことにしてしまっただけのこと。

この思考は少しだけ僕の気を晴らした。実際に背伸びもして、無理矢理心の位置を高くすると、活力が生まれ、腹が減ってきた。

冷蔵庫の上に置いてあったバナナを食べる。皮に黒い斑点が少しだけできていたが、剝くと綺麗な白色だった。バナナの皮が黄色いという事実はあまりにも主張が強い。そのせいで、身が白いことを忘れていた。

同様に、彼女が笑顔になる度にできる、目の下のシワに見惚《みと》れていたせいで、重要な表情を見落としていたかもしれない。

翌日、月曜日の昼休み、山根と食堂で過ごした。

いつも通りのタルタルチキンカツを食べる山根。僕はざる蕎麦にした。

「ざる蕎麦だけで足りるんかいの？」

首を縦に振り、黙々と食べた。

山根は一昨日《おととい》のことを聞いてこなかった。自分からわざわざ言う必要もない。

三時限目の〈超越論哲学〉、大教室に恐る恐る入る。桜田さんの姿はない。

授業が終わり、一番に教室を出る。〈引〉のプレートを無視して扉を強く押すと、音が鳴った。

振り返ると、誰も僕を見ていなかった。

何事もなかったかのように扉を引いて、大教室を出る。そして、出てすぐのところにあるベンチに座り、学生を一人一人見て、桜田さんを探した。

幼い頃、祖母と出かけて僕は迷子になった。当時の状況などは全く記憶にない。しかし、祖母に一刻でも早く会いたいと思い続けていた心情だけは鮮明に残っていた。

祖母に見つけてもらうのではなく、自分が先に祖母を見つけるんだという強い気持ちを持っていた。

あの頃の強い意思に見習って探した。しかし結局、彼女を見つけられなかった。

校舎を出ると息を吐き出し、日傘をさした。そして足元だけを見て、キャンパスを歩いた。

大学が終わり、山根の提案で僕の家で映画を見ることになり、〈プーケ〉の隣にあるレンタルビデオ屋〈キャタピラ〉に寄った。

迷った挙げ句に山根が選んだのは、韓国の恋愛サスペンス映画。

「恋愛サスペンス映画って謎ねん。だから、これにしたねん」

これが選択理由だった。

〈キャタピラ〉を出ると〈プーケ〉前にサクラがいた。僕に気付き激しく尻尾を振ってくる。僕は客として認められている。自分が反射しそうなほどのサクラの澄んだ目。しかし素通りをした。

「こにっしゃん、このおっかねぇ犬、触らんでええのんかい？」

「ええって」

気にせず、早歩きをする。

「珍しいねんなー。こにっしゃんがコイツを触らないだなんて。しかもコイツから来とるでー。ほんまにええねんか？」

「だから、ええって」

サクラはまだ近寄ってくる。それでも無視をした。もし彼女が今、店内にいて、笑いながら「一昨日はごめんなさい。時間を勘違いして」と言ってくれるならサクラと戯れられた。しかし自分の意思で行かないと決めていた場合、店前でサクラと戯れている僕を見たらどう思うのかを考えた。間違いなく、恐いだろうと思った。

しばらくするとサクラは〈プーケ〉に戻っていった。

振り向き、サクラの後ろ姿を眺めて、自分の髪の毛を一瞬、強く引っ張った。

部屋に着き、すぐに映画を見ようと山根がテレビをつけた。

「あっぱ！　デカいねん！　こにっしゃん、音デカいねん！」

騒音問題になりかねない音量。両耳を押さえる山根に謝りながら、慌てて下げる。

「なんねん、普段、こんな大きい音で見てるねんか？」

「いやいや、まさか。ただ最大音量にしようとしただけ。でも断念」

「最大音量？」

「うん。音量を最大にしようとしてん」

「こにっしゃん、アホねん！　最大音量にしようとするなんてアホねん」

「アホちゃうし」

いつも通りの山根の間違った大阪弁と声量がわずらわしかった。

映画は文字通り恋愛サスペンス映画。

婚約者がいる男が、赤髪の女に恋をする。途中、婚約者と別れることも考えたが、最終的には赤髪の女を殺害し、何も知らない婚約者と幸せに暮らすという物語。

「おっかねー！　怖いねん！　なんねんこれ！」

映画を見終わると、山根が絶叫した。

「うるさ、近所迷惑なるわ」

「あっ、ごめんねん。でもさっきのこにっしゃんのテレビの方が大きかったやねん」

「そんなことないわ」

「映画、怖すぎるねん。ごめんねん。こんな映画を借りて」

「いやいや、まぁでもおもろかったけどな。ってか、どう思う？　婚約者か赤い髪の女か。おれは好きになったんやったら仕方がないと思ったたな。山根は？」

「いや、やっぱり婚約者を裏切ったらダメねん。一生後悔するだけねん。婚約者を一途《いちず》に愛さないとダメねん」

「もしミキちゃんより素敵な人、現れたら好きになるやろ?」

「ならないねん」

「だって、この前、言ってたやん。虹みたいに、いつかミキちゃんへの気持ちがなくなるかもしれへんって」

冷やかしながら、声を出して笑った。

「違うねん。わしがミキちゃんを好きじゃなくなるときは、ミキちゃんが変わったときねん。今のミキちゃんと誰かを絶対に比べないねん!」

山根が真顔で大きい声を出した。

こんな僕らは初めてだった。

「そんなデカい声、ビックリするやん。そりゃ山根はミキちゃんと誰かを比べたりせんよな」

「しないねん」

服が擦《こす》れる音すら気になる数秒の沈黙。

「こにっしゃんこそ、どうねん? 一人ざる蕎麦女と」

「……来なかってん。待ち合わせ場所に」

「なんでねん?」

「わからへん」

「電話したねんか?」

「番号知らん」

「そうねんか。わしなんか、ミキちゃんに会った日に番号聞いたねん」

「そうなんや。それは今、関係ないやろ」

「聞いたらええねんな」

「いや、別に聞かんでもええやろ」

「聞いた方がええねん。絶対に理由があったから、来なかったねん。きっと彼女は行きたかったけど、行けなかったねん」

「そんなん山根がわかるわけないやん。おれが一番わかってんねん。当人やから。彼女と約束したときの様子とか知らんやろ。知った口きくなや」

「なんでねん、こにっしゃんにはその人といい感じになって欲しいねん」

「なに？　いい感じって。おれにはおれのペースがあるからええって」

「違うねん。こにっしゃんは、ビビってるだけねん。連絡取る方法あるねんやろ？」

「あるけど、彼女が、おれと会うのを嫌がってるかもしれへんやん。こんなん言わさんといてや」

「こにっしゃん、ビビってるだけねん」

「そんなんちゃうって！　もっと繊細なことやねん」

「繊細って言葉に騙《だま》されないねん、わしは！　人を好きになってしまったときの繊細さは、臆病な自分を誤魔化すためのただの言い訳ねん！　恋愛は全部、大雑把《おおざっぱ》なことねん！」

「うっさいって！　声デカいねん」

「だから、さっきのテレビの方がよっぽど大きかったねん！」

「お前の今の声が一番デカいわ！　うるさいなー。そもそもおれ、その人のこと好きって一回も言うてないやん」

「いやいや、絶対に好きねん！　嘘《うそ》つくなねん！」

「うっさいなー！　帰れや」

「わかったねん、帰るねん。もういいねん。DVD返却しとくねん」

「いや、ええから、もう帰れって！」

「ありがとねん、じゃねん」

山根が出ていく。

痛いほどの激しい鼓動が、耳たぶをも震わせる。

山根は正常だった。DVDを返却しようとする優しさを持っていた。最後の「ありがとねん」で、僕は我に返った。しかし遅かった。

山根には僕を守ろうとする正しい熱さがあった。真夏の太陽のように包み込む熱さ。

僕には自分を守ろうとする熱さしかなかった。真夏の太陽に照りつけられたマンホールのように、何も近づけさせない熱さ。意地のような熱さ。

元通りの僕らになる方法はわからなかった。

頭を掻《か》きむしりたくなる。足で床を踏みつけたくなる。大声を張り上げたくなる。そんなことをしても無意味ということはわかっている。しかし、肉体が様々な欲求を生み出す。それを放出するために、着替えて、外に出る。逃げるひったくり犯のように走り続けた。いつもより速いペースで2時間も走った。

次の日からは朝と夜、学校の前後に走った。当然、どれだけ走っても山根と元通りになることはなかった。疲労が溜まっていく一方だった。

山根と昼休みを過ごすことがなくなり、連絡も取り合わない。キャンパス内ですれ違うこともなかった。

大学に友達が一人しかいなかった僕は、友達がいない僕になった。

途端、昼休みを過ごすことが怖くなり、食堂には行けず、芝生《しばふ》広場にもいられなくなった。ずっと日傘で身を隠した。ついには、昼休みだけわざわざ家に帰った。

日中に見る扉の薄いピンク色は挑発的だった。

きっと僕は花のキャンパスライフに憧れていた。それだけを引きずって生きていたような気がした。

こんなときに限って、〈めめ湯〉のバイトは一人体制。とはいえ、さっちゃんとのことがあったので、助かった気持ちではあった。どんな顔をして、どんな話をしたらいいのかわからなかった。佐々木《ささき》さんに挨拶をすることを除けば、5日間、誰とも話さなかった。

せめて、桜田さんと話すことができれば、全てが元に戻る。2時に正門に来なかったのは行き違い。それさえわかれば山根に報告できる。二人でまたタルタルチキンカツを食べればいい。奢《おご》ってやろうとも考えた。

しかし桜田さんは、授業にも現れなかった。

キャンパス内のどこを探してもいなかった。いつしか彼女の顔を思い出すこともできなくなっていた。

避けられているに違いない。僕らを繋《つな》ぐものは〈社会心理学〉と〈超越論哲学〉と〈プーケ〉と〈ため息〉だけである。行き違いだったとしてそれを解きたいなら、この授業に出席すればいい。〈プーケ〉に僕が現れないのだから。しかし彼女は来なかった。

ようやく桜田さんの心情が理解できた。

〈ため息〉で小西という男と朝食を食べた。二度目。店を出ると、昼食にも誘われてしまった。困惑した表情を浮かべたが、小西はやたらと目の下を見つめてきた。笑うと目の下にシワができることは自分でもわかっていた。その男はそこばかりをじろじろと見てくるのだ。それにより小西は、私の困惑顔を見逃した。だから奴が提案してきた待ち合わせ時間より、さらに遅い時間を提案することで、困惑していることをわからせようとした。しかし、小西は素直にそれを受け入れた。不快だ。その上、小西はキャンパス内を一緒に歩こうと誘ってきた。機転を利かせて、生協にノートを買いに行くと嘘をつき助かった。何よりも、小西はがさつなのだ。マスターの触れるべきではない過去を店内で平気で詮索したのだ。デリカシーの欠片《かけら》もない男。そんな人間と昼も一緒に過ごすのは無理だ。ならば、断ろう。いや、断るということはもう一度会うということ。それすら嫌だ。よし、行かないでおこう。いや、待てよ。小西は私のバイト先を知っている。そこに来られたら最悪の事態だ。これはもう、来ないでと願うしかない。そもそも、あの男は突如、バイト先に現れた。どうも偶然とは思えない。私が〈プーケ〉で働いていたことを知っていたのか？　背筋が凍りそうだ。そういえば私に湿布まで貼らせやがった。大人なんだから己の手で貼れ。不快だ。思い返せば、見ず知らずの私に出席カードを代わりに提出するよう懇願してきた。ずる賢い奴だ。さらに、奴は日傘をさしている。太陽が照っていなくてもさすらしい。意味不明だ。不気味だ。とにもかくにも、昼の約束には行かない。

そして、〈社会心理学〉〈超越論哲学〉の単位は諦めよう。

僕は鈍感すぎる雑魚《ざこ》だ。

厚かましくも僕は彼女と、離れられない二人になりたがっていた。お門違《かどちが》いだ。

〈ため息〉の店内でオムライスのことを追求さえしなければ、こんなことにはならなかった。あの瞬間までは何もかも順調だった。

時間よ戻れ。オムライスに無関心になり、クロワッサンを食べたい。

時間よ戻れ。そんなファンタジーなことが起こるわけもなく、桜田さんと会えないという事実はあまりにも現実的だった。

ただただ過ぎ行く毎日。

走る毎日。

あっという間に、さっちゃんとの二人体制の日がやってきた。何度も逃げ出そうとした。休もうと思った。それでも〈めめ湯〉に向かったのは、ここに、一縷《いちる》の望みを託したから。僕は崩れかけている。今ならまだ間に合う。

「おはようございます」

最近は佐々木さんに挨拶をするときしか声を出していない。久しぶりに人と話せる喜びがある一方で、さっちゃんと何を話すべきなのかと不安が募る。

「おはよー、そして、こんばんは」

いつもと変わらない挨拶がやたらと体に染み込む。

さっちゃんはまだ来ていない。「私、次会うときほんまに普通にするから安心して！」と言っていた。それに頼るしかなかった。こんな状況を和やかに進める男としての技量を、こんな雑魚が持ち合わせているわけがない。

いつも入ってくる女風呂の扉から、ギターを背負って普通に「おはよう」と挨拶をするさっちゃんが想像できた。いつもと変わらないさっちゃんが来るに違いなかった。10秒後に入ってくる！　と思った。僕のこの予想は相変わらず当てにならず、15分経っても来なかった。

「珍しいやないかー、さっちゃんが遅刻やなんて、人間らしいとこあるでー」

佐々木さんが笑いながら、さっちゃんの携帯に電話をする。しかし繋がらない。電源が切られていたようだ。

「さっちゃん来なかったら一人でやりますよ。結構、助けてもらってるし」

「そーか、そーか。ほな、帰らせてもらおうかな。あとはよろしく」

そう言って佐々木さんは帰った。

銭湯で一人になると、僕が感じていた一抹の不安が大きくなった。それは、さっちゃんが来ないということではない。僕の周りから誰もいなくなることだった。桜田さんがいなくなった。山根がいなくなった。さっちゃんまでもがいなくなりそうだった。そうなると僕の周りには誰もいなくなる。怖かった。さっちゃんに来て欲しかった。さっちゃんに会いたかった。さっちゃんと話したかった。さっちゃんに謝りたかった。

でもさっちゃんは来なかった。

深夜、3時45分。全ての作業を一人で終える。

佐々木さん宅のポストに鍵を入れる。空のポストに落ちる音が住宅街に鳴り響く。この音が合図のように僕は、自分が一人になってしまったという事実を受け入れた。

街灯の周りを蛾《が》が飛んでいる。僕には誰も寄りつかない。

一人でいるキャンパスは怖かった。山根と疎遠になってからしばらくはキャンパス内にいる山根を探していた。今はもう探そうともしなかった。桜田さんとは二度と会えないと思った。

そして、さっちゃんはもう〈めめ湯〉に来なくなった。二人体制の日も来なかった。佐々木さんはあの一度きりで、電話をしなかったようだ。

「きっと、なんか嫌なことがあったんやろ？　さっちゃんが無断で辞めるなんて、よっぽどでっしゃろ？　何かあったんか？」

「いや、わからないです」

「まぁそんな厳しいバイトやないからな」

笑う佐々木さんを、僕は無表情で眺めた。

さっちゃんはもう僕の前で普通ではいられないと思ったのだろうか。何より僕が普通でいられなかったかもしれない。

「とりあえず、新しいバイト募集するから、しばらくは頼んますわな」

一人体制のバイト、佐々木さんへの挨拶、日傘に隠れながらの一人っきりの大学、ジョギング。

これが今の僕の全てだった。


ある日の昼休み、日傘で身を隠しながら法文坂を下っていた。

前方から聞き覚えのある声がした。山根だ。

「ここが法文坂ねん！　法学部と文学部に繋がる坂ねん」

日傘を少し上げて覗き見ると、麦わら帽子を被った小柄な女性と、歩いてこちらに向かっていた。彼女だ。ミキちゃんだ。大分からはるばるやってきたのだろう。

写真で見た通りの清楚《せいそ》さ。青と白のギンガムチェックの半袖《はんそで》シャツにデニム生地のロングスカート。対する山根も、同じギンガムチェックのシャツを着て、ペアルックをしていた。

楽しそうな話し声が聞こえてくる。僕は日傘で顔を隠した。

でも山根には日傘で気付かれてしまう。このまま引き返したとしても、見られるだろう。どうすることもできず、そのまま法文坂を下ることしかできなかった。

二人の会話が近づいてくるようだった。

突然、山根の声が止まった。

僕に気付いたのだろうか。

日傘を上げる勇気はない。

そのまま横を通り過ぎるしかない。

二人の足元が見えた。立ち止まっている。

山根は待っている。

僕もここで止まれば、以前の日常が戻ってくる。

「どうしたの？　なんで止まっとるん？」

大分訛《なま》りの彼女の声。

僕は少しだけ歩く速度を緩めて、日傘を少しだけ上げた。

二人の下半身が見えた。

手を繋いでいる。強く。それが一つの手のようだった。

自分の右手は日傘を握り締めている。ただただ強く。

そして僕は、ペースを速めて横を通り過ぎた。

「いやいや、なんもないねんやねん」

「もう！　大阪弁やめてー」

「しゃーないやねん。食堂行こうやねん」

「うん！」

二人の話し声が遠のいた。

山根は僕がいなくても変わらずキャンパスライフを過ごせる。

ミキちゃんには僕のことをどう説明しているのだろうか。

一緒に関大を案内しようと心躍らせたことが遠い昔のようだった。

〈ため息〉に、桜田さんと4人で行くことも考えた。能天気だった自分に嫌気が差す。

正門を越えても、日傘はさしたままにした。

僕は正真正銘、一人になった。

〈さくらハイツ〉の薄いピンク色の扉を早く見たくなった。どんなときでも僕を待ってくれている唯一の味方。一人ではない。……しかしその扉すら、どこかに去ってしまったのかもしれない。突如、不安になり全速力で走った。風の抵抗を受けて日傘が裏返った。立ち止まり、力ずくで直すと日傘の骨が一本折れた。

「くそ」

無理矢理、折り畳み、再び走り出した。逃げているように。何からも追いかけられていないのに。薄汚れたアパートの外階段を駆け上り、自分の部屋に着く。

「……良かった」

ピンク色の扉は僕を待っていた。

当然のことに安心し、中に入り、テレビをつけた。

「嫌な季節がやってまいりましたねー。梅雨入《つゆい》りです。しかし、朗報です。今年の梅雨は雨が少ないかもしれません。というのも……」

気象予報士の声が耳障りでテレビを消した。

この日を境に、ジョギングに費やす時間は、さらに増えた。自分でも異常性を感じた。朝、昼休み、夜も走る。毎日。雨でも走った。

曜日感覚はなくなった。

梅雨の空は、巨大なネズミの胴体部分に見えた。ネズミをくぐり抜けようと、どれだけ走っても、ネズミの下に僕はいた。

雨の中を走れば走るほど、ジャージは雨を吸い、重たくなった。

学校がない日は、日中に公園のベンチで寝て、再び走ったりもした。身体はずっと疲れていた。雨に打たれ、汗を吸ったジャージを洗濯することはなかった。ジャージからは鼻を突き刺す臭いがした。高校の軟式野球部の部室よりも、カビ臭かった。

天気予報通り、平年の梅雨より晴れ間が多かった。

しかし、晴れていても空が濡れているように見え、爽快感は皆無だった。

ほとんど屋外にいたせいで、梅雨にも拘《かか》わらず太陽を浴びた顔はしっかりと日に焼けた。佐々木さんに「おまはん、日焼けして、痩せたな。なんやそれ」と言われた。食事は納豆かバナナだけだった。

身体は正直で、こんな生活を一ヶ月ほど続けた結果、右膝が壊れた。一週間くらい前から僅かに右膝が痛くなっていたが、それでも走り続けてしまったことが仇《あだ》となり、朝起きたときには激痛で立ち上がることができなかった。

高校の軟式野球部の顧問がよく「飯はたくさん食えよ！　栄養不足はケガの元！　自主練習し過ぎるなよ！　無理し過ぎた場合は、しっかり整理体操しろ！　骨折より厄介なケガを招くぞ！」と言っていた。きっと、疲労の蓄積が右膝を襲った。膝は触っても痛くないのに、曲げると突き刺すように痛い。病院にも行かず、湿布を貼るくらいの対処しかしなかった。

キャンパス内を、右脚を引きずりながら歩く一人っきりの学生。顔は真っ黒。しかし日傘をさしている。矛盾。さらに骨が一本折れた日傘。誰が見ても惨めだ。

午後からの授業は欠席した。

走れなくなると、何をしたらいいのかわからない。脚を引きずり、〈キャタピラ〉で映画を借りることにした。

梅雨を感じさせない晴れた空。

梅雨を感じさせる湿気。

この組み合わせは、青い空を、綺麗事を並べている詐欺師のように見せた。

一ヶ月以上ぶりに〈プーケ〉の前を通るとサクラがいた。こちらに気が付いたサクラが尻尾を振って寄ってくる。久しぶりに何かに寄られた気がした。バナナシェイクを飲んだのはおよそ一ヶ月半前。サクラはそれを覚えている。下顎に力を入れ、込み上げてくるものを抑える。サクラを撫でたい。顔を両手で包み込んで、シワを作って、そこを撫でたい。でも、店内にいるかもしれない桜田さんが気になる。僕はやはりサクラを無視する。

サクラは「人違いか？　こいつはあいつじゃないのか？」と思っているのだろうか。それでもサクラは近寄ってくる。膝に鼻をつけて、嗅いでいる。湿布の匂い。

バナナシェイクを飲んだ日も、首に湿布を貼っていた。そのままこちらを見上げるサクラ。

「やっぱり湿布のお前じゃないか」と尻尾の勢いを増した。

綺麗な瞳に僕の顔が映り、僕の瞳にサクラが映りそうだ。合わせ鏡の世界。

頭を撫でたい。7月の日射しに照らされて、とても温かいだろう。毛並みが柔らかそう。それとも梅雨の湿気で蒸れているのだろうか。胴体を撫でたい。でも何もできない。すると、サクラは呆気《あっけ》なく、店前に戻り、寝転んだ。慎重すぎる自分を猛烈に恨んだ。

脚を引きずりながら、〈キャタピラ〉に入る。すぐ目に入ったのは、オススメ！と書かれた『代筆ラブレター』という邦画。コミックの実写版映画。旬の女優と俳優が出ている。つまらなそうだと思った。でも時間が過ぎればいい。とにかく早く大学を卒業したかった。

レンタルビデオ屋を出て、〈プーケ〉前を通っても、サクラはもう寄ってこなかった。

いよいよ、僕は一人になった……この思考は何度目だろう。ことあるごとに、結末を迎えたように、孤独を感じていた。結末があれば、新しい何かが始まると信じて。しかし何も始まらず、何度も同じ思考に囚《とら》われていた。始まりのない輪廻《りんね》転生。

いつ、何が変わって、どれが崩れたのかがわからなかった。

空を見上げると、雲が一つだけあった。それが誰かの忘れ物のようにも、置いていかれたようにも、はぐれたようにも見えた。

こんな空を「一番好き」とは到底思えなかった。

息苦しさを感じる。背中を丸めて猫背にすると、楽になる。

痛むのは右膝だけのはずが、身体全体が痛い。

街を丸ごと洗いたくなる。これは少し大袈裟《おおげさ》か。

冷静さは欠いていない。それがまた現実的。

自宅に戻る。薄いピンク色の扉が安っぽかった。いつもと同じ場所に戻ることはあまりにも簡単。

閉めたままの遮光カーテンは昼の日射しを遮《さえぎ》り、部屋を真っ暗にする。部屋に侵入しようとする日射しがカーテンの周りを縁取っている。

『代筆ラブレター』は高校生のラブストーリー。書道部の女子が片思い中の男子からラブレターの代筆を頼まれるという物語。結末はラブレターの宛名が、その書道部の女子だったというもの。

臭すぎるほどのラブストーリー。

綺麗事が過ぎる映画に苛立《いらだ》った。無性に走りたくなる。しかし右膝の痛みは消えない。エネルギーが有り余っている。

寝転ぶと、ＤＶＤケースを摑み、壁に投げつけた。おもちゃの鉄砲を撃ったような、安っぽい音が鳴る。

ゆっくり立ち上がり遮光カーテンを少しだけ開ける。夕方の光が、押し寄せる人込みのようになだれ込む。姿を隠していた宙に舞う埃が、きらきらと煌《きら》めく。一ヶ月以上も掃除をしてない部屋は埃っぽい。

再び寝転ぶ。カーテンのあいだから真っ直ぐ延びる光の道は、テレビ台の下に行き着き、そこに隠れていた灰色の埃の塊を照らした。腕を伸ばし、親指と人差し指で綿毛に見えなくもない埃を摘まみ取る。日射しがそれを照らすといよいよ綿毛に見えてくる。風に運ばれて、いつか花を咲かせそうだった。

こんなモノが僕と桜田さんの共通項だった。

〈社会心理学〉〈超越論哲学〉〈プーケ〉〈ため息〉だけではなく〈埃〉も僕らの共通項。

〈埃〉は汚いのに美しかった。

僕よりも美しかった。むしろ僕には一片の美しさもなかった。

とても単純な感情が心に充満し、声に出した。

「おれは幸せじゃないいな」

久しぶりに発した声は痰《たん》が絡まっていた。

咳《せき》払いをして、また声に出す。

「おれはさちせじゃないな」

虚《むな》しさが軽くなった。気のせいか。

腹が減り、バナナを食べる。剝いた皮を部屋の隅にあるゴミ箱に向かって投げた。四つに分けて剝いた皮を右手に持って投げた瞬間、食べかすの割りには重たいなと、どうでもいいことを思った。宙に浮いているあいだ、皮が広がって足の数が少ないイカに見えた。

ゴミ箱に華麗に飛び込んでいきそうだったが、縁に当たった。そしてゴミ箱がひっくり返り、中身が散乱した。

「くそっ」

突発的に出た大きな声は反響することなく、すぐに消えた。せめて、反響して欲しかった。自分が口を動かしていない状況で誰かの声が聞きたかった。自分が話さないと、人間の声が聞こえない。反響すれば、自分が声を出し終わっているのに、人間の声が聞こえてくる。

こんなことを求めている僕は紛れもなく孤独だった。

土日をここで過ごすことが嫌だった。大学でも所詮、孤独ではあったが、あらゆる景色でそれを誤魔化せた。自分の部屋が単色に見えるほど味気なかった。

散らかったゴミを片付けないまま、僕は実家に帰った。

金曜日の夜に突然、実家に帰ってきた息子を親はどう思うのか不安になったが、意外にも平然としていた。

「なんでそんなに日焼けして、痩せたん？　脚、どないしたん？」

母はやたらと聞いてきた。

「走りすぎてん」

「スポーツマンやん！　ええやん！　野球やってたときみたいやない」

なぜか喜んでもらえた。

土曜の夜、軟式野球部のメンバーに連絡して馴染みのお好み焼き屋に集合した。突然の呼びかけにも拘わらず、僕を含めて5人が集まった。副キャプテンの林《はやし》は来られず、それをいいことにやっぱり『林の空中浮遊事件』の話になった。一人張りきり、一番風呂目指して走り出し、洗い場に入った瞬間に滑って身体が宙で真横に浮いてから落ちた、僕らにとって伝説的な話。〈めめ湯〉で転《こ》けて、救急車を呼ぶ事態になった自分は棚に上げて、一緒に笑った。

相変わらず皆、好き勝手に誇張した。

「宙に浮いているときに股間が上を向いていた」

「で、股間が下を向いてから、落ちた」

「林の股間は林を操っている」

「言われてみれば、走るとき股間を操作していた」

「林の股間が林のハンドル」

「巨大ロボットの中で操作する人みたい」

「飯食うときも股間を操作して箸を持っている」

「いやいや、股間持ってたら箸持たれへんやん」

「片手で股間を操作して、片手で箸やん」

「だから打席に立つとき、ずっと股間を持っていたのか」

「いやいや、股間持ってたらバット持たれへんやろ」

「片手は股間、片手はバットやん」

「片手でバット持ってんの⁉　漫画の世界やん。カッコええ！　でも片手は股間やろ？　ギャグ漫画やな」

「あいつ今頃、股間を操作して歩いてるんかな」

「小西の膝の湿布、林に貼ってもらったら？　股間操作しながら貼ってくれるで」

皆、息ができないくらいに笑っていた。誰がどれを言ったかは覚えていない。何を言っても笑ってしまう雰囲気になっていた。

僕らはお好み焼きを何度も焦がした。思い出にしがみつくことに専念するように夢中で話し続けていた。数えきれないほど、馬鹿笑いしていた。

僕は久しぶりに笑った。心の底から笑って、帰り道、一人になると、頬が痛かった。

頬を撫でながら真っ暗な空を見上げ、祖母の言葉を思い出した。

「たくさん笑って生きなさい。でも、笑ったあとにほっぺたが痛くなるときあるでしょ？　あれは嘘笑いしてる証拠。無理矢理、ほっぺたの筋肉を使ってるから痛くなるの。本当の笑顔は心の筋肉を使うからどこも痛くならへんよ。ほっぺたが痛いときは無理してる証拠やから」

思い返せば、わざと口を大きく開けて、皆に大袈裟な笑い顔を見せていた。

日曜日の昼前、リビングで荷物をまとめていると、11時ちょうどの知らせを鳩時計がしてくれた。

脚を引きずりながら、椅子を持ってこようとしたが、11回鳴いた鳩は、すぐに戻った。

その1時間後、事前に椅子に立ち、待機した。

凛々《りり》しい顔をした鳩が出てくる。自信満々で人様のために時間を知らせている。しかし頭の上に埃が積もっている。若干間抜けに見えるが、立派だ。見方次第では、積もった埃がロシア帽に見えた。三角屋根の家から飛び出す前に被るのだろうか。家の中では脱いでいるのか。何分？　何秒？　前から被っているのか。

桜田さんは鳩の頭に積もった埃が、ここまで立派なものだと想像できていないだろう。この埃を、彼女は「取りたい」と顔を輝かせた。そんな会話を思い出すことは虚しいだけだった。12回鳴いた鳩は「これを取らせてたまるか」と言わんばかりに、三角屋根の家に戻った。今頃、ロシア帽を脱いでいるのだろうか。


電車に揺られ、関大前駅の一つ手前の豊津《とよつ》駅で下車した。

自宅に帰るには少しだけ遠回りになるが、豊津駅からの方が平坦な道で右膝に優しかった。

暗くなり始めた住宅街をゆっくりと歩く。

日曜日を堪能《たんのう》した小学生二人が「バイバーイ！」と必要以上の声量で手を振り合って、公園から出てきた。互いが見えなくなるまで何度も言い合っている。

日曜日を楽しめていない自分が惨めだった。

小学六年のある日曜日、僕は祖母に無益な宣言をした。

「今日の日曜日はなーんもしない！　ずーっと家にいる！」

「外で遊んできたらええやないの？　それか、おばあちゃんとどっか行く？」

「なーんもせーへんって決めてん」

「せっかくの日曜日やのに……。外に出たらなんかすごいことがあるかもしれへんよ。何が起こるかわからんよ。人生にとってすごい一日になるかもしれへんよ」

「ならへん、ならへん」

「日曜日は未知曜日やで」

「……未知曜日？」

「そう。日曜日は未知曜日。すごいことが起こるかもしれへんでー。未知やで」

「未知曜日かー。なんかカッコええなー」

結局、祖母と商店街をぶらぶらすることになった。そして、夕方には帰宅し、何も起こらない日曜日となった。それでも日曜日は楽しむもの、未知なる曜日であることを教わった。

〈さくらハイツ〉にたどり着き、ピンク色の扉を開けると、濁った埃っぽい空気が流れ出てきた。思わず扉を閉める。目の前のピンク色がいつもより綺麗に見えるのは、紛れもなく部屋の汚さのせいだった。

実家の鳩時計の鳩の頭に積もった埃は立派だった。

桜田さんは「洗濯機のゴミ取りネットの埃の塊は何度も洗われているから綺麗です」と言った。

この部屋から流れ出てきた埃は不潔で身体に悪そうだった。

鳥の鳴き声が聞こえてきた。鳥も日曜日を楽しんだのだろうか。

「日曜日は未知曜日……」

独り言に背を押されるように、勢いよく扉を開け、靴を脱ぎ、電気をつけ、散らかったゴミを弱々しく踏み荒らしながら、窓を全開にした。

そのままベッドに腰かけた。しばらくすると、強い雨が降ってきた。車が通る度に、濡れたアスファルトを走る音が聞こえてくる。ベッドに寝転ぶ。天井と電気だけが視界に入る。この屋根を取り払って、雨で部屋を洗い流して欲しかった。明かりに反応した蛾が部屋に入ってきて、電気の周りを飛んでいる。それを疎ましく思わず、寄りつかれた気分になって、嬉しかった。雨の中、この蛾は飛んできた。しかし羽の粉は取れていない様子。雨は何も洗い流してくれない。

「……掃除するか」

立ち上がり、納得がいくまで、無我夢中で部屋を掃除した。ひと段落ついた頃には蛾はいなくなっていた。

第四章

虹橋

強い雨は朝を迎えると、すっかり止《や》んでいた。

午前の退屈な授業を終えて、昼休み、引きずった脚で一人の部屋に戻るのが億劫《おっくう》だった。痛みは依然として引かない。

キャンパス内は学生たちの目がたくさんあって怖い。〈ジャポネーゼ〉からは睨《にら》まれている。

居場所がなく、引きずった脚で逃げるように〈ため息〉に入った。

昼の12時半。

店内に客はいない。ついに、僕が行くところには人も寄りつかなくなったのか。

「いらっしゃい」

いつも通りマスターの声は少しだけ高くて、店内の上部に貼られたメニュー名は変で、オムライスはやっぱり〈オムライス〉だった。そんなことが今の僕には優しかった。

いつもの窓際のテーブルに座るとマスターが聞いてきた。

「脚、どうしたの？」

「ジョギングしすぎて、痛めました」

「いいね。僕なんかケガするほど動けないよ。ケガできるって実は幸せなことなんだよ」

器用に返事ができず、マスターの顔を眺めるだけだった。

「何にする？　今日は貸し切りだよ。この時間で珍しい」

「オムライスで。オムライスお願いします」

「かしこまりました」

マスターがすんなりと受け入れる。

一人で注文するオムライス。目の前に桜田《さくらだ》さんはいない。

どうしても彼女の顔をうまく思い浮かべることができない。それほどに彼女の存在は僕から遠のいた。

窓から空を覗《のぞ》き見ると、霞《かすみ》のような雲が空全体にかかり、青色を淡くしていた。

しばらくするとケチャップの香りが、鼻腔に柔らかく触れてきた。

マスターが白いお皿を持って、こちらに向かってくる。手元から立ち上る湯気が老紳士を神々《こうごう》しく見せた。

「ごゆっくりどうぞ。オムライスです。作るのが苦手で不出来ですがご了承ください」

オムライスを置いてキッチンに戻る。

僕は日を見張った。

目の前に置かれたオムライス。

それは四角いオムライス。四隅は90度。そして、ケチャップが上品にひと盛り乗っている。

本来なら、角張ることで失われる可愛さを、この四角いオムライスは存分に持っていた。

スプーンをくるんでいる紙ナプキンを取り、ケチャップを延ばし、左下の角に飛び込ませた。

スプーンが卵に触れ、チキンライスを通過して、お皿にぶつかるまでの全ての感覚が伝わってきた。

ひと掬《すく》いして、ゆっくりと口の中にオムライスを入れる。

口の中に広がる優しい味。鼻から息を漏らすと、オムライスに包まれたようだった。

やはり薄口。山根《やまね》が言った通り、この店は強い薄口。

久しぶりのまともな食事。そのせいなのか、実際にそうなのか、この店で食べたどのメニューよりも美味しくて、あっという間に完食した。

「めちゃくちゃ美味しかったです」

キッチンにいるマスターに言った。

「オムライス作るの苦手なんですよね？」

「そうだよ」

「こんなに美味しいのに？　これで苦手だったら誰もオムライス作れなくなりますよ！」

僕は正しく熱くなった。

マスターは少しだけのけ反ってから、テーブルに来てくれた。

「全然ダメだよ」

「何がダメなんですか？　オムライスなのに四角いからですか？」

「だから、このオムライスなんかより、遥《はる》かに美味しく作る人がいたんよ」

マスターの声が小さくなる。

「本当にその人が作るオムライスが美味しくてさー。これ、四角いでしょ？　なぜかというと、卵焼き器で作ってるから。あの、出汁《だし》巻き卵作るやつ。当時はさ、って、何十年前になるんだろ……お金なんかなくてさ、あったのは包丁と卵焼き器だけ。だから何もかも、その人が卵焼き器で作ってくれてたんだよ。焼きそば、野菜炒めとかは想像つくだろうけど、焼き魚も煮物もだよ。アレで。今思うとすごいな。笑っちゃう。当時、なんで笑わなかったんだろ。不思議。でも四角いオムライスを作ってくれたときに、僕、笑ったんだよ。手叩いて笑っちゃったもん。やっぱりオムライスは楕円形だと思ってたから」

マスターが微笑《ほほえ》むと、目尻に深いシワができた。そのシワを伸ばして広げると、中から当時の空気が出てきそうなほど深かった。

「そしたら、その人が笑わず『ごめんね』って言うもんだから、ハッとした。誰かを茶化して笑うときって、相手が笑ってなかったらダメなんだよね」

僕の家で山根と映画を見たあと、彼女のミキちゃんに関することで茶化して笑った。

あのとき、山根の顔は笑っていなかった。

お皿を奥にずらしてテーブルに突っ伏し、おでこをつけた。

こんな体勢の僕にマスターは変わらず話を続けてくれた。

「僕が笑っちゃったもんだから、もうオムライス作ってくれなくなったんだよ。と、ここで閃《ひらめ》いたんよ。店始めちゃえ！　って。メニューにオムライスを入れたら作ってくれる！　って。僕はコーヒー、その人はオムライス。二品だけの喫茶店。その人のオムライスを食べたあとに僕のコーヒーを飲んでもらう」

顔を上げてマスターを見て、声を発した。

「店を始めたくなるほどのオムライスってすごいですね」

「でしょ？　僕が作ったこのオムライス食べて、喫茶店始めたくなった？　なってないでしょ？」

「いや、それとこれとは……」

「いや、それとこれは同じなんよ。人生観が変わるほどの味。そこに達していないこのオムライスは、まだまだ作るのが苦手。むしろ下手《へた》なんよ」

マスターは区切りのように手を叩き、小さな音を鳴らした。そして息を大きく吐きながら、肩を一回上下して、寂しそうに呟《つぶや》いた。

「でも、結局、食べられなかった。あのときのオムライスが最初で最後」

「え……」

「でもちゃんと覚えてるんだよ、あの味」

マスターが食べたオムライスはどれほどのものだったのだろう。

「50年前だよ？　それでも覚えている味。口の中にまだあるもん。……それなのにさ、その人の顔を思い出せないときがあるんよ。変じゃない？　オムライスの味は思い出せるのに、顔は思い出せないって。そんなときに、本当に遠くに行ったんだなって思う……。そのせいで？　僕、50年間、女性と手、繋《つな》いでないんだよ。まぁ男とも繋いでないけど。……あれ？　なんの話⁉　ごめん！　僕、喋《しゃべ》りすぎたかな」

目を瞑《つぶ》ったまま、全力で首を左右に振った。

「マスター！　その人の顔、今、思い出せますか？　思い出してみてください。その人、どんな表情してますか？」

桜田さんのお父さんの言葉。

――「他人に、自分の顔を思い出してもらうとき、自分の顔が笑顔だったら嬉しいな」

桜田さんの声で脳内に聞こえてきた。

「表情？　そんなこと考えたことなかったなー……」

マスターは腕を組み、真面目な顔をした。そして閃いたように口を動かした。

「あっ、真面目な顔してる」

「……真面目か」

「なんで残念そうにしてるの？」

マスターは笑いながら聞いてきた。

「もう一回、思い出してみてください」

手を合わせて頼み込むと、不思議そうに笑って、改めて腕を組んで首を傾けた。そして笑いながら、いつもの少し高い声を出した。

「随分と、笑ってる。笑顔だ」

「……良かったー！」

「なに喜んでるの？」

マスターはまた表情を変えた。

「あっ！　わかりました！　マスターの表情によって、その人の表情も変わるんじゃないですか？　他人の顔を思い出すとき、自分の表情がそのままその人に当てはまるんじゃないですか？」

「言われてみれば、そうかもね」

マスターは色々な表情をしながら、その人を思い浮かべていた。そして無表情になり、ゆっくりと話し始めた。

「さっきも言ったけど、たまにその人の顔を思い出せないときがあってさ、そのときは遠くに行ってしまったからだと思ってたけど違ったよ。まさに今、顔を思い出せないんだけど、それは僕が無表情にしているから。つまり、僕が無表情になってしまっているときって、頭の中にその人の顔は出てこないんだね。それは、その人の無表情を知らないから。その人はいつだって、顔に感情を表していたんだなって。知らないあいだに、……自分が無表情になっちゃってるときが増えてたんだな……反省。無表情じゃなくて、笑顔で過ごすよ」

マスターは、笑顔を作り目尻のシワを深くした。

それにつられて僕も自然と笑顔になった。

途端に、桜田さんの顔が頭に浮かんだ。

目の下にシワを作りながら笑う彼女。

あれだけ思い出せなかった彼女の顔が頭を埋め尽くした。

自分が笑顔になった途端に彼女の笑顔が浮かんだのは、ずっと彼女の顔を取り戻そうとしていたからだった。

「じゃ、ごゆっくりどうぞ。ってもう食べ終わってるね」

マスターがキッチンに戻ると、久しぶりの満腹感と満足感に包まれた。

〈ため息〉を出て、引きずった脚で正門をくぐり、日傘をさす。

法文坂を上がっていると、図書館前にサクラがいた。久しぶりにキャンパス内で見かけた。

あちこちを嗅ぎ回っている。一人で関大を楽しんでいる様子は犬の大学生みたいで、絵本のようだった。

「サクラー！」

〈プーケ〉前ではないから思いっきり呼べた。

こちらを向いたサクラが尻尾《しっぽ》を振りながら走ってきた。痛む右膝は伸ばしたまま、左膝だけ曲げてかがみ両手を広げると、サクラが飛び込んできた。まだ僕のことを覚えていてくれたのが嬉しくて、涙が流れた。そんな自分に驚いた。

涙を流す僕に気付いてかサクラは尻尾を振ることをやめて、じっとしている。

小学四年のときの草野球の試合で、僕のエラーでサヨナラ負けをし、家に帰るなり泣きながらデン太に抱きつくと離れるまでじっとお座りして待っていてくれたことを思い出した。

しかしすぐにサクラは僕の顔を思いっきり舐《な》め始めた。くすぐったい。涙を流す僕を励ますように舐めている……というのは綺麗事《きれいごと》で、明らかに美味しそうに……舐めている。涙の味がするのだろうか。

昔、祖母が教えてくれた。

「涙を流すなら右目から流しなさい。不思議なもので、嬉しい涙は右目から、悲しい涙は左目から流れるんだとさ。これは迷信じゃなくて科学的に証明されてるんやで」

サクラは僕の顔の右側を舐めている。そんなことに安心している僕に飛びついてくる。負けじと僕もサクラの頭を撫《な》で回す。

短毛の感触が山根の坊主頭を思い出させた。

勢いで山根の番号をタップした。

呼び出し音が鳴る。

「もしもし、こにっしゃん？」

ワンコール目で出た山根に躊躇《ちゅうちょ》はない。

「おー、山根。久しぶり。図書館前におるんやけど」

「わし、三時限目、授業あるねん」

「おれもやで。食堂行こうや」

電話を切ると、空気を読むようにサクラがのんびりと離れていった。尻を左右に振りながら歩く後ろ姿が愛《いと》しかった。

すぐに遠くから走ってくる山根が見えた。

緑のロングTシャツに、いつものベージュのチノパンではなく茶色のチノパン、茶色のスニーカー。緑の部分が外野で、茶色の部分が内野のダイヤモンドに見えた。甲子園球場を上空から見ているようだった。

「こにっしゃんー！　おまんたせー！」

くだらない挨拶に笑みがこぼれる。

この一ヶ月半のことには触れずとも、元通りの僕らになれることはわかっていた。それでも謝った。

すると携帯のフォルダからたくさんの写真を見せてきた。ノートの紙切れを撮った写真。そこには、その日の日付と「こにっしゃん、ごめん」とひと言だけ書かれた紙が写っていた。

毎日これを書いていたらしい。

山根は、あの日から謝る準備ができていた。対して僕は一ヶ月半もかかってしまった。

自分が情けない。でも、そんな感情よりも、山根が唯一の友達である誇らしさが圧倒的に強かった。

「こにっしゃんの心の準備ができたら、謝ってくれるのはわかってたねん。だから待ってたねん。昼休みはずっと携帯眺めてたねん。こにっしゃんのことは何度も見かけてたねん」

頬を涙が伝う。自分が友情絡みで泣く奴《やつ》だなんて思いもしなかった。軟式野球部で敗退し、引退が決まったときですら泣かなかった。

涙が、山根の顔を初めてぼやかした。そのまま全身を見るとますます甲子園球場だった。

「実は、ミキちゃん関大来たねん。こにっしゃんとケンカしたって言うたら、『なんで？』って聞かれたやねん。わし、こう言うたねん。わからん！　って」

「確かに、おれらってなんでケンカしたんやろな」

「わしらは友達ねん。〈友達〉って読み方を変えたら〈ゆうだち〉になるねん。〈夕立〉ねん！」

「夕立？」

「そりゃたまにねん、夕立みたいに雷が落ちて崩れることはあるねん。でもしばらく経てば、きっと晴れるねん！　だからこそ友達ねん！　わし、語彙力ないから上手《うま》く言えないねん。声量でしか伝えられないねん。わしらは最高の友達ねん！」

山根の声が図書館に跳ね返って反響した。学生の視線をいくつも感じたが、気にならない。

「語彙力あるよ。伝わったよ」

「わしらも、あいつらみたいに、するねんか？」

山根は図書館前にある銅像を指差した。〈友の像〉だ。

「やるわけないやーん！」

僕は大笑いしながら否定した。なぜなら〈友の像〉は全裸の青年二人が肩を組んでいるのだ。入学してすぐは、この銅像に異様なものを感じたが、いつしか、当然そこにあるモノとなっていた。

「こにっしゃん、食堂行こうねん！　ってか、こにっしゃん、黒くて、ガリガリねん」

涙に触れてこない山根がまた山根らしかった。

「走りすぎてん。ちなみにさっき、オムライス食べたけど、タルタルチキンカツ余裕で食えそうやわ」

「うん、ちょっとは太った方がいいねん、ねん」

食堂に向かって歩き始める。

「あれ？　こにっしゃん、脚、どうしたねん？」

「走りすぎた」

「おっかねー！　とりあえずタルタルチキンカツ食ったら治るねん！　あっ！　こにっしゃん、テスト勉強してるねんか？」

「全くしてない。ってか忘れてた」

「わしは覚えてたのに、全くしてないやねん！」

大笑いした山根は脇に腕を回して、歩く補助をしてくれた。

「わしら、〈友の像〉になってるやねん！」

「ほんまや！」

周囲に見せびらかすように、笑い声を上げた。

食堂に着き、僕を座らせ、タルタルチキンカツ定食を二人分持ってきた。

「こにっしゃんの分もタルタルソース多めにしてあげたねん。今日はわしの奢《おご》りねん」

どう見ても多すぎるタルタルソースを食べきる自信はなかった。

僕らは元通りになった。壊れたものを接着剤でつけるようなことではない。トカゲの尻尾が再生するようなことでもない。

一ヶ月半の歳を取った。それだけのことだった。

「こにっしゃん、そういえば一人ざる蕎麦《そば》女と、どうなったねん」

「なんにもない」

笑いながら呑気《のんき》に言った。

「そうか、そうかねん。告白しないねんか？」

チキンカツにかぶりついて、首を横に振る。

オムライスを食べたばかりの僕はタルタルチキンカツを根性だけで食べた。残すところ半分くらいからすでに胃袋ははちきれそうで、さらに大量のタルタルソースのせいで胸焼けが酷《ひど》かった。それでも山根の優しさを食べるように完食した。

明日からまた僕らは昼休みを一緒に過ごす。

当たり前だったことが当たり前ではなくなり、また当たり前になった。


夜は右膝を痛めてから初めての〈めめ湯〉のバイト。

「おはようございます」

「うん」

番台に座って、小銭を数えている佐々木《ささき》さんがいつもの挨拶をしなかった。

「おまはん、脚、どうしたんや」

「走りすぎて、膝を壊しました」

「ケガで済んで良かったたな。掃除できんのか？」

「時間はかかるとは思いますが、なんとか」

一人体制の上に、ゆっくりな動きのせいで作業に時間がかかる覚悟はしていた。

ズボンの裾を捲《まく》る。

いつもならさっさと帰る佐々木さんが番台に座ったままだ。

「帰らないんですか？」

「あのー、さっちゃんのことやねんけどな。言いづらいんやけどな……」

いつもと様子が違う佐々木さんは何かを知っている。

「連絡したんですか？」

佐々木さんは何も言わない。

あの日のことを本人から聞いたのかもしれない。

「……すみません。実は僕、さっちゃんが来なくなった理由を知ってるんです。もう聞いたのかもしれませんけど……さっちゃんから気持ちを伝えられました。でも、僕は男として、いい返事ができませんでした。でもさっちゃんは、気まずくないって言いました。これからも今まで通り普通に接するって言いました。でも、あの日からさっちゃんは来なくなりました。やっぱり、僕と二人は気まずいんだと思います……」

「……さっちゃんがそんな弱い人間のわけがないやろー！」

突然の怒鳴り声。

あまりの勢いに僕はのけ反り、右膝の痛みのせいで、後ろに手をついて倒れた。

番台で立ち上がっている佐々木さんの目は充血している。

呆然《ぼうぜん》と見上げることしかできない。

「さっちゃんはそんな弱ないんじゃー！」

突然の怒号に、どうすればいいかわからない。

佐々木さんがおもむろに座った。

「……昨日の夜、連絡来たんや……。別にこのままさっちゃんが無断で辞めたことにしても良かったんやけどな。でもやっぱり言わないとアカンわな。そもそもさっちゃんが無断で辞めるような子やと思うんか？」

「……思わないです」

自分の声が震えている。

「そうやろ？ ……なのになんで、わてもそう思ってしまったんや……腹立つわ。自分にも……お前にも！」

佐々木さんが、怒りの矛先をこちらにも向けている。

「ほな、なんや、あれか？ このまま、わては、さっちゃんに連絡しないつもりやったんか？ 一回だけ電話して出なかったから、『ほな、さいなら』のつもりやったんか？ わて、新しいバイト募集もしてるんやで？ 有り得るか……有り得ないよな！」

語気を強めた佐々木さんの充血した目から、次々と涙が溢《あふ》れ出てきた。

この状況を読み取る力は僕にはなかった。

「…………さっちゃん死んだんやとさ。一ヶ月以上前やと。交通事故やとさ。さっちゃんが来なかった日かな。それか、その前日か？　それかもっと前か？　そんな具体的なことは聞かれへんよ。昨日の夜、さっちゃんのお母さんから電話がかかってきたんや。お母さんずっと『すみません、連絡遅くなりまして。後回しになってしまって。学校とかサークルにしか連絡する余裕がなくて』みたいな感じやったけど、ほんまはこっちから電話しないとアカンかったんや。そりゃお母さん、気持ちの整理つくかいな。娘、事故で亡くなって、それを他人に『娘が死にまして』って言えるわけないやろ！」

佐々木さんの怒鳴り声が、平等に分け合ったかのように、男女の脱衣場に反響した。

手をついたままの僕の身体が震え始めた。

呼吸が荒くなる。

そのまま仰向けに寝転んで、天井を見る。

ヒビだらけの天井。僕の身体の振動が伝わって、天井のヒビを増やしてしまいそうだった。

こちらを見下ろす佐々木さんは何も言わない。

外から犬の鳴き声が聞こえた。

それが合図かのように佐々木さんが弱々しい声を出した。

「ほな、明日、昼の1時。わてん家《ち》に来て。さっちゃんの家に線香立てに行くから」

佐々木さんが番台を荒々しく叩いて、帰った。

僕は寝転んだまま、しばらくそのままでいた。

またどこからともなく犬の鳴き声が聞こえてきた。

そして、ゆっくりと起き上がり、立つ。

さっちゃんが死んだ。

「……さっちゃんが死んだ」

声に出しても、よくわからなかった。声を発した喉の感覚はいつも通り。しかし聞こえてきた声は明らかに震えている。それを脱衣場に敷いているマットが吸収した。僕は随分と項垂《うなだ》れていた。

頭を空っぽにしようとする。少しの雑念があるだけで、「さっちゃんが死んだ」という情報が脳に浸透しない。情報が許容量を遥かに超えている。

「ここは銭湯」「膝が痛い」「僕は男」、こんな薄い情報ですら邪魔になる。

どれくらい突っ立っていたかはわからない。脚を引きずりながら作業を始める。石鹼《せっけん》の粉を撒《ま》く。

手を止めて、目を瞑る。

「小西《こにし》くんは石鹼を撒くのとホースで流してな」

さっちゃんの声が一瞬でもいいから聞こえて欲しかった。

ここにはさっちゃんの欠片《かけら》があるはずだ。

今、さっちゃんの声が聞こえてくることが必要だった。

でも水が流れる音しか聞こえない。

どれだけ意識を深く研ぎ澄ませても、さっちゃんの声は聞こえてこない。いたたまれなくなりブラシをタイルに投げつけると、右膝が痛んだ。

「痛っ」

自分の声が男風呂に少しだけ反響して鬱陶《うっとう》しかった。

全ての作業を終えた頃には、4時になっていた。

「一ヶ月以上前？」

声を弱々しく発したせいで、舌が口の中に触れて、湿り気のある音を立てた。

鍵をかける。

街灯がいつもより暗く感じるのは空が少し明るいからかと思いきや、まだ真っ暗だった。

佐々木さん宅のポストに鍵を入れた。

「……あれ？」

いつもの金属音が聞こえない。何かが鍵を受け止めたような音。

ポストを覗くと新聞がある。もう今朝《けさ》の朝刊が届いた？　と思ったがまだ配達される時間ではない。これがいつの新聞ということはどうでも良かった。

さっちゃんの死を知った佐々木さんは今日も変わらず〈めめ湯〉を営業していた。利用者は

450円払って、身体を綺麗にして疲れを取る。千円札を出せば550円のお釣りを渡す。いつも通りの佐々木さん。しかし、僕にはいつもの挨拶をしなかった。何度も怒鳴り声を上げた。そして、ポストは空っぽになっていなかった。

通常通りを装って働いていた佐々木さんは、いつもの生活リズムを失っていた。

おそらく佐々木さんはすでにさっちゃんの死を受け入れている。僕はまださっちゃんの死を受け入れられていない。

しかし佐々木さんがその事実を受け入れているということは、その事実が存在しているということだった。

途端、腹がつった。口から、内臓が捲《めく》れ出そうになる。身体が裏返ろうとしている。自分の口から、聞いたことがない声が出た。全身に力が入り、立っていられなくなり、両膝をついた。右膝に激痛が走る。そのまま右に倒れ込む。身体の右半身と右頬が冷たいアスファルトにつく。そして、流れる涙が地面に落ちる。左右から平等に流れる涙。祖母の言葉は間違いだ。しかし右半身を下にして倒れている僕。左日から出た涙が、鼻の付け根を通り、右目に入った。そして、右目の中を通り、流れ出て地面に落ちる。右目の涙は左目の涙かもしれない。やはり左目からしか流れていない。

上半身だけを起こし、地面を見ると、涙が落ちた部分だけアスファルトの色が濃くなっていた。涙の粒が大きい。これは、右目から流れる涙が、左目と右目の涙が合体したものだからだ。悲しい涙は左目からなんて、間違いだ。

「どうでもええねん！　こんなこと」

僕の声が深夜の住宅街に、いつものポストの金属音よりも響いた。ゆっくりと立ち上がると、涙は止まった。

家に戻り、風呂にも入らずベッドに潜り込んだ。


昼近くに目が覚め、意外としっかり眠れた自分に嫌悪感を覚えた。

さっちゃんの家に何を着ていくべきか考える。思考の切り替えの早さが気持ち悪かった。

普通の格好で行く気にはならない。関大の入学式以来着ていない、防虫剤の臭いが染み込んだ黒スーツを選んだ。くわえて、黒ネクタイも必要だと、生協に買いに行くことにした。

靴箱にあるはずの革靴が見つからない。実家に持って帰った記憶が僅かにある。新しい革靴を買う余裕もなく、雨の日しか履かない黒のＶＡＮＳのスリッポンを履いた。

部屋を出ると、７月の日射しがスーツに染み込んだ防虫剤の臭いを溶かしてくれた。

梅雨《つゆ》明けしたのだろうか。

ＶＡＮＳのスリッポンの黒色は馬鹿正直に日射しを吸収している。

正門をくぐり、日傘をさす。

上下黒のスーツ、シワが目立つ白いカッターシャツ、ノーネクタイ、黒のＶＡＮＳのスリッポンで右脚を引きずりながら、骨が一本折れた日傘をさす男子学生。惨めだろう。

食堂の上の階にある生協には、大概のものが売っている。黒のネクタイも余裕綽々《しゃくしゃく》と棚に置かれていた。手に取り、レジに持っていく。

「お団子……」

レジにいた30歳くらいのお団子頭の女性店員を見て、思わず声が出てしまった。

「……はい？」

桜田さんよりも小さなお団子。やはり彼女のお団子は一際大きい。

不思議そうな顔をした女性店員に対して僕は、声なんか出していないという顔でお金を払った。

生協を出ると、サクラがテニスラケットを持った華やかなグループに愛想を振りまいていた。

「人懐っこいー！」「可愛い！」「めっちゃ尻尾振ってるー！」

学生たちの楽しそうな声。

「サクラー！」

呼びかけると、こちらに向かって走ってくる。尻尾の振りは先ほどとは大違い。

「おー！　小西じゃねぇーか！　2回目の来店がないとそろそろ忘れるぞー！」

そう言わんばかりの顔。

サクラを横取りされて拗《す》ねるように華やかなグループは歩き出した。何かに勝った気がしたが、しこりが残った。

サクラを縦横無尽に撫でて、抱き締めた。負けていられないと尻尾を振るサクラ。人間の負の塊を犬は吸収してくれる。だから人間より寿命が短いのか。むしろ、悪いものを吸収して身代わりになってくれているのか。

「犬は誕生、成長、老い、死、全てを教えてくれる。だから寿命が人間より短いんだよ」

デン太が死んだ小学六年のとき、祖母が教えてくれた。デン太が我が家に来たのは僕が1歳の頃。その誕生と成長に関しては、まだ物心もついていなかったのでよくわからない。でも祖母の教えはしっかりと伝わった。

「サクラ、ありがとう」

サクラの顔を両手で包み込み、目を見て、とても単純な言葉をかけて、抱き締めた。すると、さっきまでの戯《たわむ》れがなかったかのように、両腕をすり抜けて関大の奥に歩いていった。

「切り替え、素晴らしい」

独り言を発して、佐々木さんの家に向かっていると、山根から電話がかかってきた。

「もしもし、こにっしゃん、昼飯食おうねん」

「ごめん。急用で」

「どうしたねんか?」

「いや、なんか、友達が……」

脳が続きの言葉を作らない。

「こにっしゃん？」

ゆっくりと息を吐く。

「こにっしゃん？　なんかわからんねんけど、了解ねん。変わらずわしは元気ねんから、安心して。こにっしゃんのために、元気蓄えとくねん。また明日ねん」

何かを感じ取った山根。明日ちゃんと話そう。

〈めめ湯〉に着いた。久しぶりに明るい時間に見ると、外観にはヒビが目立っていた。

入口横のガラス窓に反射する自分を見ながら、ネクタイを締める。薄く映る自分の顔は山根が言った通り、ガリガリで真っ黒だった。

足元を見て、涙の痕跡があるかを探した。あるわけがない。

真横にある佐々木さんの家のポストを覗いた。昨夜なかった朝刊が入っていた。その下にはまだ鍵は入れっぱなしだろうか。

インターホンを押し、しばらくすると黒のスーツを着た佐々木さんが出てきた。番台に座っているときとは違う雰囲気を醸し出していて、不安な気持ちになった。

このように目の前の景色を受け入れながら、さっちゃんの家に行き、全てを受け入れることができるのだろうか。今から僕は、とてつもなく怖いことに挑む。

「なんや、わざわざ折り畳み傘持って。もう梅雨は明けたぞ」

佐々木さんに日傘の話をしたことがなかったことに気が付いた。

どう説明するか迷っていると、佐々木さんが再び口を開いた。

「スーツにスニーカー履いとるがな」

「バレました？　すみません。革靴なくて。黒のネクタイは買いました」

「さっちゃんが我々のこんな格好を望んでいるとは思えないけどな。ってか、スーツ、毛だらけやがな。獣でも触ったか？」

「え？　……ほんまや。犬です。やってもた……」

黒スーツにサクラの白い毛が大量についていた。手で払って取れるものではない。粘着テープがないと取れない。

歩き始めると、実感が少しだけ迫ってきた。それに合わせて身体が少し震えた。佐々木さんはいつもと同じ様子で歩く。動じていない姿が年配者だな、と思った。僕は頼るように少し後ろをついていった。

佐々木さんは住宅の塀沿いの日陰を歩く。僕は日向《ひなた》をわざと歩く。しかめっ面を誤魔化せるような気がした。

「おい、小西はん。さっちゃんの気持ち、いつ気付いたんや？」

「気付いていませんでした。……伝えられて、初めて知りました」

あの夜、さっちゃんはどんな気持ちでこの道を歩いたのだろうか。

「そうか。さっちゃん一人体制のときは、いつも、おまはんの話してたわ。わてはそれを聞かされてた。こんなおっさんに、いや、じじぃに話をするってことはよっぽどやったと思うわ。救急車呼んだときの形相は忘れられへんで。あと、おまはん、遅刻したときな。めちゃくちゃに心配しとったんやから。わて、ほんまは、二人のあいだにいざこざがあって辞めたんかなって思ってたんや。だから連絡もせんかったんや」

「いざこざはなかったです」

「うん、そうか。さっちゃんの気持ちを知れたんなら良かったな。ほんで、脚、大丈夫か？　このペースでええか？」

「はい。大丈夫です」

「……ケガで済んで良かったな」

佐々木さんのひと言が重かった。

今日という日は、どんよりと曇っている空が正しいと思った。しかし、空は大袈裟《おおげさ》なほどに青く、小さな薄い雲は身を隠すように端にいた。

今日という日を思い出す度に、この空に違和感を覚えるだろう。

さっちゃんの家は歩いて5分くらいのところにあった。

「ここやな」

住宅街に並ぶ一軒家を見て佐々木さんが諦めたように言った。横顔は覚悟を決めているようにも、降参しているようにも見えた。

そして、ひと呼吸ついてインターホンを押した。

インターホンから返事はなく、しばらくすると玄関のドアが開き、無地の真っ白のTシャツを着た女性が出てきた。肩まで下ろした髪。

僕はうつむいて、咄嗟《とっさ》に顔を隠した。

「〈めめ湯〉の佐々木です」

「こんにちは。妹のためにわざわざすみません」

僕の耳に突貫してくる声。

身体が力む。

右膝に痛みが走った。

「暑い中、すみません。どうぞ中へ」

耳を塞ぎたくなる。その衝動を抑える。

「……今じゃないって！」

僕の口から出た声は、昼間の住宅街に反響した。

驚いた佐々木さんは何も言わずに僕を見た。

「絶対に今じゃないって！」

再び聞こえてきた自分の声。

冷静になれる方法がわからなかった。

「……小西さん？」

聞き慣れた懐かしい声。

顔を上げる。

桜田さんと目が合った。

僕がずっと探していた人。

思い出せなかった顔。

僕はこの顔を探していた。

この顔に会いたかった。

しかしそれは今ではなかった。

こんなときに会いたくなかった。そういった意味では、今、一番会いたくない人だったのかもしれない。

そもそもこの人は桜田さんなのか？

本来の彼女はこんなに無表情ではない。

こんな人を、僕は知らない。

「うん、小西です」

かすれた声で返事をした。

「痩せましたね。日焼けすごいですね。運動部にでも入ったんですか？　……えっ⁉　なんでいるんですか？」

「〈めめ湯〉で働いてて」

佐々木さんは僕らの顔を交互に見ながら、事情を把握したのか何も言わなかった。

「あーっ！　よく話してました。女々しいバイト仲間がいるって」

口角《こうかく》だけを上げるようにして言ったが明らかに不自然。目の下にシワはできなかった。

「めめって女々しいのめめなんですよね？　妹が、サキが教えてくれました。あっ、私、姉です」

お団子頭じゃない桜田さんは少しだけ痩せたようにも見えた。でも髪型に違いがあり正しく判断ができない。そして、聞こえてきた〈サキ〉に対して冷静に、さっちゃんは〈桜田サキ〉だとわかった。

「おれ、さっちゃんと同い年のはず……」

「私、浪人してたんで。一年間」

色々なことを確認したかった。しかし、その前に受け入れなければならない事実がある。そのせいで僕は口をつぐんでしまった。

「小西さん、スーツ、毛だらけですけど、もしかしてサクラ？　ええなー。サクラ触りたいな。最近、休みもらってたから、会えてないんです」

いつもより早口の桜田さん。明るさを装うためでもあり、時の流れを早送りしようとしているようにも見えた。

呆然とした僕の横で黙っている佐々木さんに気が付いてか、桜田さんは表情を緩めて言った。

「じゃ、中へ、どうぞ」

表札の〈桜田〉が目に飛び込んできたが、まばたきついでに目をそらした。

玄関で黒スリッポンを脱ぐと青と白のボーダーの靴下。自分の詰めの甘さ。

数本の傘が立てられた傘立てには見たことがある一本。アニマル柄の傘。僕の視線に気付いたのか桜田さんが言った。

「あっ。小西さん、これ傘。ずっとここにあって、毎日返さなアカンって思ってました」

僕は桜田さんの中に毎日居座っていた。それがひどく申し訳なかった。

「ほんまにごめん」

「それはこっちのセリフですよ。梅雨はどうしてたんですか？」

「わざわざ買う気にもならんくて、日傘で」

「なんか、すみません。でもサキに渡しとけば返せた可能性もあったんやー。でも、そんな小さな過去を変えたって、何も変わらないけど」

右膝が痛み、また倒れそうになる。自力で耐える。

そのまま、すぐ左の和室に案内される。彼女が襖《ふすま》を開けて入る。続いて、佐々木さんが一歩、足を踏み入れた瞬間に両膝をついて、泣き崩れた。とても単純に泣いている。至ってわかりやすく。

ずっと我慢していたものが破裂したようだった。

桜田さんはただひたすらに前を見ていた。視線の先に祭壇があることは予想できた。佐々木さんが入口を塞いでいるので和室に入ることはできない。中にある掛け時計が唯一見えたくらいで、あとは小刻みに震える背中を見下ろすことしかできなかった。

和室からエアコンの冷気が流れてきた。

「さっちゃん、ごめんやで……無断で辞めさせるところやった……ほんまごめん……」

時間はただただ進み、佐々木さんは5分間、和室の入口で泣き続けた。こんなに泣いたら疲れるだろうなと思った。僕はこんなことしか考えられなかった。

桜田さんは祭壇を見つめたまま、僕は入口手前で突っ立っていた。

泣き止んだ佐々木さんは立ち上がり、中に入った。

僕もそれに続いた。

二段の祭壇。上段の真ん中に遺影。その両端に花。下段には白の布で包まれた箱。祭壇の横にはギターが立てかけられていた。それがベースなのか、エレキギターなのか、音楽に疎《うと》い僕にはわからなかった。ただ、いつも背負っていたギターであろうことは大きさでわかった。祭壇の正面の壁際に、テレビがあって不釣り合いだった。

目の前の光景を見て僕は「ふざけてる！」と思った。

何度見ても、さっちゃんの遺影があることが理屈に合っていない。

不条理の世界。

これを見て、瞬時に前後の筋道を整え、涙を流した佐々木さんは改めて年配者だなと感心した。佐々木さんは祭壇に向かって手を合わせたり、線香を立てたり、鈴《りん》を鳴らしたり、用意していた御香典を桜田さんに渡しているさまが手際良かった。僕はそんなものを用意していないし、考えもしなかった。また、自然な流れで御香典を受け取る桜田さんが遠い存在に見えた。同い年と思っていた彼女が1歳上とわかったことも手伝っていたかもしれない。

「じゃ、わてはこれで失礼します」

「もう帰るんですか？」

僕は少しだけ助けを求めるように聞いた。

「〈めめ湯〉の準備もせなアカンしな。一ヶ月以上も遅くなってすみません」

佐々木さんが桜田さんに頭を下げた。

「お姉さん、あと良かったら法事のときはひと声お願いします。本当にこの度はご愁傷様でございます」

冷静に言った佐々木さんは直後、数回地団駄を踏んだ。

そして大声を張り上げた。

「嫌じゃ！」

前触れがなかったにも拘《かか》わらず、僕と桜田さんは平然としていた。

それは佐々木さんに強く共感したからかもしれない。

悲しみよりも、「嫌」という感情が勝っていた。

続けて桜田さんが、鋭くて短い声を上げた。

「最悪！」

声と一緒に何かを吐き出そうとする姿。身体のどこかが痛そうに見えた。僕の鼓膜は奥に逃げるように震えた。

「嫌じゃ！　嫌じゃ！　嫌なんじゃ！」

再び、佐々木さんが太い声を発した。

二人の突然の叫びに、僕は一度も驚かなかった。この場に適した行動に見えたから。

佐々木さんは息を大きく吸って、ゆっくり吐き出した。そして、祭壇に向かって一礼して、帰った。

その後ろ姿は番台から帰っていく様子と似ていて、あまりにも日常的だった。

和室には爆竹が鳴り響いたあとのような静けさが残った。それを誤魔化すように、わざと音を立てて慣れない手つきで線香を立てた。膝の痛みで正座はできず、右脚だけ伸ばして、左膝をついた姿勢。これに関して桜田さんは何も言ってこなかった。

鈴を鳴らして、手を合わせても唱える言葉が見つからず、心の中は空虚だった。

「御香典みたいなやつ用意してなくて、ごめん」

「いやいや、いいですよ。ってか、これって普通に受け取っちゃっていいんですか？　どうしたらええんやろ？　とりあえず、お母さん帰ってきたら渡します」

実は御香典に困惑していたという事実が、部屋の空気を柔らかくした。

「あっ敬語使わなくてごめん。まさか一つ上やったとは」

「いやいや、そんなことどうでもいいですよ。まぁ私が敬語使ってますけど」

「逆やな」

笑い合うテンポ感だったが、僕らの表情は微動だにしなかった。

それが妙に変で視線をそらす。

祭壇に目を向けると白の布で包まれた箱の横に古びた茶封筒があり、〈咲《さき》へ〉と書かれていた。キャラクターがデザインされた封筒なら友達からの手紙と思えた。明らかに古びた茶封筒はこの祭壇には異様だった。

「その手紙気になるんですか？」

「うん」

「これ、お父さんからの手紙なんですよ」

理解できず、問いかけるように彼女の顔を見た。下ろした髪が似合っていない気がした。

「なんか、すっごい悲しいんですけど、死んだお父さんが『咲が結婚したら読ませて』って言ってた手紙らしいです。お母さんが『読むことなくなった』って言いながら置いてました。本当は結婚式で読みたかったらしいです。きっと、私宛のお父さんからの手紙もあるんやろなってわかっちゃいましたけど！　私、呑気や！！」

天井を仰ぎながら言った。

「……あの、これ読みませんか？　私はまだ読んでなくて。咲はもう向こうで読んだんかなー。読みませんか？」

自分に決定権はない。

「封筒に閉じ込められた手紙を咲は読めないですよ。透視はできへんし。『誰か読んでやー！せめて手紙を開いてこっち向きで置いてやー！』って思ってるかも！　聞かせてあげましょうよ、咲に」

そう言って桜田さんは泣いた。きっかけはわからなかったが、さっきの金切り声がなければもう少し早く泣いていたのかもしれない。佐々木さん同様、とても単純に泣いている。

言葉をかけずに泣き止むのを待った。

定期的に小さな物音を立てながらここにいることが、僕の存在価値だと思った。

しばらくすると桜田さんは落ち着いた。

「読みましょうよ。小西さん読んでください。お願いします！」

無理に作った笑顔で手を合わせて懇願してきた。「こんな表情を保っていたら頬が痛くなるで」と教えたくなった。

しかし何もできない僕。せめて彼女の言いなりになりたかった。

「わかった。読む」

桜田さんは茶封筒から白の便箋を取り出し渡してきた。三つ折りされた便箋を広げると、思いの外、丸文字で拍子抜けした。

「……咲へ。結婚おめでとう。お父さんです。お久しぶりです。どれくらいぶりでしょうか？死ぬ準備ができるということはとても素敵なことです。おかげでこんな手紙を書ける。今頃、式場は涙の渦でしょうか？　なんせ、死者からの手紙ですからね。まぁそんなことはさておき、結婚相手はきっと咲に相応《ふさわ》しいことでしょう。と書いてみたものの、咲はまだ8歳で、全くピンと来ません」

桜田さんが両手を突き出す。

「ちょっと待ってください。耐えられない。キツいです」

そう言って畳の上に仰向けで寝転んで、タオルハンカチを顔に乗せた。表情が見えなくなると、泣いているはずが笑いを堪《こら》えているようにも見えた。

彼女の胸の膨らみに白いTシャツがなめらかに馴染《なじ》んでいた。呼吸する度に胸が上下に動き、生きようとする意思を感じられて、とても美しかった。それはデン太みたいだった。

デン太は実家のリビングで息を引き取った。横たわりながら、苦しそうに胸を上下させ、必死で酸素を取り込もうとしていた姿は公園を走り回っていた頃とはまるで違って悲しかった。でも必死で生きようとしていた姿は小学六年の僕には美しく映った。

「では、続き、どうぞ」

強がるように起き上がった桜田さんが言った。僕は小刻みに頷《うなず》き再び読み始めた。

「咲はまだ8歳で、全くピンと来ません。だからおめでとうとしか言えません。お母さんにはこの手紙は咲が結婚するまで渡さないでと伝えています。ビデオレターにしようかなと思ったけど、泣いてしまいそうだし、お父さん痩せてるし、嫌だなって思いました。だから手紙にしました。いやー、その場にいたかった。率直な気持ちです。手紙を書く！　と決め込んだものの、何を書いたらいいのか全くわかりません。お父さんは今、39歳です。まさか自分が40歳にすら、なれそうにないなんて、思いもしませんでした。なんか、この手紙をダラダラと書き続けて、何時間、何日、何ヶ月、何年、何十年、気が付いたら85歳とかになってないかな。それから死にたい。誰かに手紙を書き続けるだけの人生でいい。それくらい生きていたい。何もしなくてもいい。ただこの手紙を書き続けていたい。誰かに手紙を書き続けるだけの人生なんてしょうもないに決まってる。でも、それ以上に生きたい。とても薄い言葉かもしれないけど、生きるだけでいい。薄いことって意外に難しいことです。湯葉だって薄い。だから簡単にちぎれる。薄いことだけど、保つことが意外に難しくて。ん？　お父さんは一体何を書いてるんだ？　湯葉？　意味わからん！　そう！　こんな調子で85歳になってないかなー。手紙を書き続けるだけの人生でいい。それほどに生きることは価値がある！　咲！　おめでとう！　隣にいる人と一緒にいて、さちせですか？　その人のこと、このきですか？　会場にいる方々、突然、すみません。私は『幸せ』のことを、『さちせ』、『好き』のことを、『このき』と、読みます。それは、『幸せ』を少しでも早く伝えたくて、『好き』を少しでも時間をかけて伝えたいからです。まぁそんなことはさておき、咲！　おめでとう。その人の隣が、咲の居場所です。咲はきっと、その人の隣じゃないとダメなんだよね。今日の空が一番好き！　と毎日思って暮らせますように。今日の空はどうですか？　以上！」

読み終え手紙を折り畳む。

「私宛の手紙と咲宛、どっちを先に書いたんやろ」

桜田さんは意外にも冷静で淡々としていた。

「なんとなく、姉宛を先に書きそう」

「ですよね。もしかして、私宛と咲宛の内容が全く同じやったりして」

「いや、それはないんちゃうかな」

「もし同じやったら爆笑しちゃうかも。ラストの『今日の空はどうですか？』に対して、空を見てるフリして笑ってるかも」

「顔絶対に見られたらアカンで」

「私と咲の結婚式にどっちも来た親戚《しんせき》の人たちが『内容同じー！』ってツッコミそう。あっでも咲の結婚式はもうないんか。もう。嫌すぎる。嫌すぎる。この現実嫌すぎる」

かける言葉が見つからず、手紙の内容に触れた。

「あのさー、お父さんは、『さちせ』だけじゃなくて『このき』も言うねんな。なんか、さっちゃん、言うてたわ」

このき、と言われた経緯を詳しく話すつもりはなかった。

「そうです。このき。さちせとこのき。読み方の理由が、妙に説得力あるんですよね。『幸せ』を少しでも早く伝えたくて、『好き』を少しでも時間をかけて伝えたい。確かに、〈さちせ〉って読んだら、〈しあわせ〉より早く伝えられるけどー」

「この手紙の『今日の空が一番好き』の『好き』はどっちで読んだらええんやろ？」

「多分、どっちでもいいと思います。好きな方の読み方で。……このきな方で」

「……今度、実家の鳩時計の鳩の頭に積もった埃《ほこり》、取らせてあげる」

場違いな発言。しかし、二人の間になめらかに順応した。

「その埃って大切なんですよね？」

「それで少しでも気が晴れるなら、三重県まで行こう。取らせてあげる。親は説得する。電車賃も奢る」

「実家にお邪魔して、『鳩の頭の埃を取りに来た友達です』って紹介されるんかな。何それ。笑える」

笑わずに言った。

さっちゃんの死を認識し悼むはずだったが、姉である桜田さんを励ましていた。僕にはまだ、さっちゃんが死んだという実感がなかった。

「お察しの通り、お父さんは病気で死にました。ご存じの通り、咲は事故で死にました。私、この一ヶ月、病死か事故死、どっちがいいかなってずっと考えていました。どっちがいいと思いますか？」

「人間やから、病死かな」

「ですよね。私はお父さんが死ぬことを9歳ながらに勘付いていました。どんどん痩せ細ったし。よって心の準備ができます。しかし事故の場合は心の準備ができません。つまりどっちがいいと思いますか？」

「……病死」

「そこの面だけを見ればそう思うんです。でもお父さんは、１００％生きてた人で、それが徐々に０に近づくんです。70％も30％も５％も知ってるんです。それはとても残酷です。咲は１００％生きてたのに、ある瞬間、一気に０になるんです。これって無惨なことやけど、これはこれで有り難いかもしれへん。だって、お父さんの思い出に浸ろうとしても、お父さんの痩せ細った姿を考えてしまうことがある。でも咲を思い出すと健康優良児の姿ばかり。もちろん咲を思うと、良いはずがないですよ！　ただ残された立場の人だけの気持ちになって考えるとどっちがいいと思いますか?」

桜田さんの誘導に乗って答えるつもりはなかった。

「私、何が言いたいんやろ」

「事故死を肯定したいんやろ」

少しだけ強い言葉が出た。

「はい」

そもそもこんな二択があってはならない。


デン太は歳を取り、顔は白髪《しらが》で真っ白になり、立つこともできなくなった。でも僕はその姿ばかりを思い出していない。公園で走り回っていた様子も同じ数だけ思い出した。子犬時代の写真を見ても「若いな。可愛いな」とは思ったが、「可愛かった」とは思わなかった。そのときそのときが一番可愛かった。まさに「今日の空が一番好き!」だ。最期は、息を大きく吸って吐くことはなかった。まさに息を引き取った。動かなくなったそのあともやっぱり可愛かった。

僕に色々なことを教えてくれた祖母もそうだった。認知症が進み、僕のことがわからなくなった。学生時代の父と僕を勘違いし、その度に訂正していた。あるとき「変なこと言いなさんな!」と、上から糸で引っ張られたような顔で怒られた。それが怖くて、父のふりをするようになった。すると祖母の顔は、以前の優しい顔になったのだ。のちに医学番組で、「認知症には否定せず肯定することが大切」という原則が紹介されていて、ほっとした。

祖母が亡くなる数週間前、僕は隣に布団を敷いて寝ていた。夜中、突然むくっと起き上がった祖母は父の名前を呼んだ。

「なに？　どうしたん？」

僕はすぐに起きて、父のふりをして、祖母に顔を向けた。

窓から差し込むのは、月の明かりだったのか、街灯の明かりだったのか。祖母の照らされた顔は満面の笑みだった。

「家族の数だけ、別れがあるんやで。覚悟しいや」

「え？　突然なに？」

「ん？　徹《とおる》やん。騙《だま》したなー」

そう言って大笑いした祖母は状況を全て把握していたようにも見えた。

「徹。よく聞きやー。雲は空にしかいられない。雲の居場所は空だけ。それと一緒で、自分の居場所を必ず見つけるんやで。私の居場所はこの家族なんよ。じゃおやすみ」

祖母に久しぶりに名前を呼ばれた僕は泣きそうになった。そして、すでに寝ている祖母を確認してから声を出さずに少しだけ泣いた。

１００％元気だった祖母が、目に見えて０に近づいていく。その中にも小さな幸せはいくつもあった。だからこそ認知症と肺炎で日に日に弱っていく祖母の姿を思い出すことが悪いとは思わなかった。

まとまりきらない自分の気持ちを桜田さんに上手く伝える術《すべ》もなく、また比べる出来事でもないような気がして、何も言えずにいた。

「手紙を書くだけの人生でもいいんですね」

「うん……でもお父さん、丸文字で女子みたいやったから説得力半減した」

現段階で僕ができること。それはいつもより少しだけユーモアを足した人間になること。祖母が写真を撮るとき、少しの気合いを入れて似合わないピースをするほどのユーモア。僕は少しの気合いで手紙の丸文字を茶化した。

「この状況でよくそんなことが言えましたね。久々に他人にふざけられたかも」

「ふざけたというか、ちょっとだけでも笑って欲しかったというか」

お団子頭ではない桜田さんが少しだけ僕の心に馴染んできた。

「私の家族は、もうお母さんと私だけ。二人だけ。私って不幸な類《たぐい》の人なんやって思ってた。でも違う。そもそもそんな不幸な類の人はおらん。みんなに同じ数の幸せと不幸がやってくる。幸せがあると不幸があって、そして幸せがある」

僕が強く頷くと、桜田さんはさらに続けた。

「人生は円い。丸文字がそれを教えてくれた」

彼女の言いたいことが、理解できなかった。それは彼女のこの境遇を当然ながら経験したことがなく、精神状態を推測することも不可能だから。知ろうとする必要もない。当然これは、突き放しているのではなく寄り添っている感覚だった。

前触れもなく桜田さんがタオルハンカチで顔を覆った。ふとしたはずみで出てくる涙。ため息程度の空気の動きでも、はずみになってしまう。きっと僕と佐々木さんが来たせいで泣く回数も増えただろうと自責の念にかられた。

自分が犬だったらどうにかできる。犬は無邪気に尻尾を振って、それがまるでホウキのように何かを払う。

僕のスーツにはサクラの毛が大量についている。今なら少しは犬に近づける。

今の彼女を助けられるのは犬くらいだろう。

四つん這《ば》いになってみた。右膝が針を刺されているように痛んだ。そのまま桜田さんの前に進み、お尻を尻尾に見立てて左右に振った。思いっきり。微塵《みじん》もふざけていない。

僕は本気だった。

物音で桜田さんがこちらに目を向けた。四つん這いで尻を振って、舌を出して、吐く息を強くした男はどう見えるだろうか。

すると、桜田さんが躊躇《ためら》いなく両手を広げてサクラの名前を呼んだ。この一瞬で、僕の意図を理解してくれたことを驚異的に感じた。

僕はそのまま突き進み、胸に飛び込んだ。身体をさすられる。撫でられる。スーツから防虫剤の臭いが湯気のように立ち上る。それでも負けじと尻を左右に振る。頭に胸の膨らみが当たった。お構いなしにそのままお腹に顔を押し当てた。細いお腹だが、埋もれてしまいたくなるほど柔らかい。そのまま上目遣いで彼女の顔を見た。

優しく触れ合っている上下の瞼《まぶた》。鼻周りは乾燥して皮膚が剝《む》けている。何回も涙を流し鼻水を垂らして拭いたのだろう。

行きすぎたユーモアが僕を真剣に犬にして、桜田さんは偽のサクラを抱き締めた。

そのまま仰向けになり、ジャケットのボタンを外して、カッターシャツを捲り上げ腹を出した。そのまま素肌の腹をさすられる。彼女の手は冷えたアルミ缶のように冷たかった。お腹はガリガリで薄い腹筋を浮かび上がらせていた。両手で脇腹をさすられる。あまりのくすぐったさに逃げるようにうつ伏せになった。

「そんなにこしょばかったサクラ?」

いつもの声で問いかけてくる。

「なんでそんなに笑ってるん?　そんなにこしょばかった?　サクラ?　笑いすぎ。肩、揺れすぎ。……小西さん、これはもうサクラじゃないですよ」

サクラになりきれない自分が悔しくて、桜田さんを妄想の世界に案内しきれなくて、視界に入るさっちゃんの表情が変わらなくて、それは写真だからで、つまりは遺影で、おそらく個人で撮った写真ではなく、何人かで撮った写真からさっちゃんだけを切り取った写真で、一人の写真なんか準備してるはずはなくて、一人で撮る写真よりもグループで撮る写真に価値がある年齢で、優しい青色の背景に切り取ったさっちゃんの顔をはめ込んでいて、その色が今日の空と似ていて、自分の靴下が青と白で安い空色のようで、さっき見上げた空にさっちゃんはいて、でも一ヶ月以上前からいたわけで、僕は何も知らずにいじけて生きていて、馬鹿みたいに走っていて、そして、右膝が突き刺すように痛くて、それがとどめになって、しかめっ面で唸《うな》った。

そして嗚咽《おえつ》した。

曲げると痛む右膝をそのまま曲げ続けた。膝の痛みが目の前の悼みに勝って欲しかった。痛みのせいで泣きたかった。しかし、痛みは完敗して、目の前の現実は僕の中に素早く浸透した。

「さっちゃん、死んだん？」

「うん」

桜田さんが即答したことで、さっちゃんが死んだという事実は、僕にとって正真正銘の事実になった。

そこから一時間、何も話さないまま、泣いたり、泣き止んだり、泣いたりを繰り返した。桜田さんも同様に。

「そうや。〈ため息〉行けなくてすみませんでした。ちょうど、あの前に連絡来て。学校も〈プーケ〉も、しばらく行く気がせんくて」

桜田さんが久しぶりに発した声は細かった。

僕は小刻みに首を横に振った。

「昼休みにお母さんから電話かかってきて。『咲が事故に遭ったらしいからすぐに帰ってきて。家で待ってて。どうゆう状況かはよくわからんけど、あんまり良くないみたいで……とりあえずお母さん今から警察に行くから』って。それ聞いた瞬間、私、何を思ったと思います？」

適した言葉が出てこない。相応しい返事が見当たらない。その瞬間の彼女の心情を推測することも望ましくない。

「私めっちゃ冷静に、なんか大丈夫っぽいな！　って思いました。でもお母さん、声震えてたし、病院に行くんじゃなくて警察に行くって言うてたし。ヤバそうやけど、でもなんか大丈夫っぽいなって。めっちゃ都合いいでしょ。でも電話切って、家に帰ってる途中、怖くなってきて。もう涙止まらんくて。絶対に大丈夫であってほしくて。でも絶対に大丈夫じゃない気がしてきて、痛かったんかなとか。そもそもどんな状況か知らんし。もう耐えられへんくて。家帰ってもどうせ誰もおらんのわかってるし。携帯持ってるから別に家にいる必要もないし。でもお母さんは家に帰ってきてって言うたから、帰らないとしゃあないし。家着いたらもちろん誰もおらんし。お母さんが急いで飛び出した感じが残ってるし。リビングにあった飲みかけの湯飲みがリアルすぎて……怖くて。なんで飲みかけの湯飲みがこんなに怖いんやって。電話もかかってけーへんし。お母さん帰ってこーへんし。お父さんはなんで咲を守ってあげられへんかったたんやってイライラしてきて。お腹空いたから、冷蔵庫にあったヨーグルト食べようと、スプーンで掬って、口に入れたら喉を通らんくて。たかがヨーグルトのくせにって思って。流しで、口から吐き出して、残りの分も流しに捨てて、お母さんに怒られる気がして、水を流してなんとなく完食した感じにして……そこの冷静さなんかいらんねんって思って。もう何したらいいかわからんくて、二階の自分の部屋に行って、ベッドで寝転んで、気が付いたら寝てて、起きたら夜の7時で。こんな状況でも寝れるんかい！　って思って、リビング行ったら、親戚の人が何人かいて、私の顔見た瞬間、その人たちが泣き出して、え？　これってマジのやつやん！ってなんか謎のよくわからん気持ちになって、そしたら泣けてきて、しかも尋常じゃない泣こうとする力が自分の身体から湧き上がってきて、それを止めようとすることもできへんまま猛烈に泣いてしまって。でも10秒くらいしたら、いや咲はまだ死んだとは確定してないやん！私は何も知らんねん！　って思って、そしたら涙止まって、ほな足音が聞こえてきて、直感でお母さんやなってわかって、同時に、来るな！　結果を知りたくない！　って思って、隠れようとしたけど体が動かんくて、もう結果を聞くしかないやん！　って諦めて、あーぁ、って思って、でも私はすでにわかっていたんですよ！　最初からわかっていたんですよ。……サキがもう死んでることを。絶対にもう生きていないって。私はずっとわかってたんですよ。昼にお母さんから電話がかかってきたときから、ずーっとわかってて、でも気付かないフリをしてて、意味もなく現実に目を背けて、でもそれは絶対に意味があった行為で、それがあったから、今から、サキが死んだことを受け入れられる力を私は備えられたんやなって。で、その足音はやっぱりお母さんで、私の目の前に来て、あっさりとひと言、『咲、死んじゃった』って。ほな、また泣けてきて。でもそれは咲が死んだから泣いてるんじゃなくて、お母さんが可哀想で泣けてきて。私とお母さんは、〈家族の一人が死んだ〉って意味では同じ悲しみやけど、私からしたら、〈妹が死んだ〉ってことで、お母さんからしたら〈娘が死んだ〉ってことで。この二つ比べたら〈娘が死んだ〉の方がツラいんちゃうかなって。もう一人の娘に向かって〈娘が死んだ〉って言うのってどんな気持ちなんやろって。しかもお母さんは親戚の人たちには『咲が死んだ』って電話してたんかな？　って思って。だからみんなここに来たんやろなって。お母さんはちゃんと親戚に一報を入れたんやなって。でも私には『あんまり良くないみたいで』としか言えなかったんやろうなって。私が悲しむと思ったから、やんわりとしか伝えることができへんかったんやろなって……で、今、意を決して言ったんやろなって思ったら、お母さんが可哀想で、可哀想で。それでもお母さんは強くて、泣かずに私に『咲は交差点で信号待ってて、周りにも人はいたみたいやけど、咲だけぼぉっとしてたんか、避け遅れたんか、イヤホンで音楽聴いてたみたいで、曲がってきたトラックの内輪差で当たってしまって』って説明してくれて。でも私、内輪差ってよくわからんくて、もう言わんでもええよって言ったけどお母さんは『アカン。ちゃんと知りなさい』ってやたら厳しくて。ほな、何もかも怖くなってきて、テーブル見たら飲みかけの湯飲みもまだ置いてあったし、この飲みかけの湯飲みはなんでこんなに怖いんやって、しかも親戚の人たちの泣き声がうるさくて、鬱陶しくて、家から出ていって欲しくて、私、飲みかけの湯飲みを摑《つか》んで、壁に投げつけて、割れて、濡れて、お母さん何も言わず、それを片付けてくれて。お母さんに謝りながら泣きじゃくって。やっぱり親戚の人たちの泣き声が一番うるさくて、よくよく考えたら、親戚の人たちがいるのは当たり前なんやけど、なぜかお通夜、お葬式のときって親戚が赤の他人に見えて、しかも親戚たちに対して『私とお母さんと同じだけ悲しがるな!』って心底思って、咲の友達たちが悲しがってるのは当然、受け入れられて、なぜか親戚だけは黙ってて欲しかった。あっ、で、お母さんが続けて、細かく説明してくれて、最後に『でも安心して。後ろに倒れて、頭の打ちどころの問題やったみたいで、ほんまに咲のままやから。ただ単に寝てる咲やから。なんにも怖くないから安心して』って言われたものの、もう何もかもよく理解できないまま朝を迎えて、新聞見たら、咲の記事が地方面に載ってて。『何もかも事実なんかい! そんなことより、一面に掲載しろや!』って叫んで、多分お母さんに聞かれてて、なんか恥ずかしくなって。こんなことで恥ずかしくなる冷静さがほんまにいらんかった。で、お昼前に咲が細長い箱に入れられて帰ってきて、よく聞く、無言の帰宅ってやつやん! って心の中が変なテンションになって、業者の人が蓋とったから、中を覗いたら、咲が寝てて、狭そうで、私もう泣いて泣いて、肺がなんか変になるくらい泣いて、でもお母さんは一回も泣かんくて、きっとお母さんは泣きからしたんやろなって、だからもう泣かへんのやなって、それなら私も泣きからしたろって思って、勢いに任せて泣きまくってたら、お母さんが台所行って、誰よりも大きな声で泣き出して、泣きかれるわけないか……ってわかって、咲が死んだことよりも、お母さんが悲しんでる姿が悲しくて、とりあえずそれを咲に謝ろうと思って、咲に向かって、ごめんなー、今はお母さんが悲しんでるからそれに泣いてるねんって声かけたら、咲はなんも返事をしてくれなくて、ほんまに死んでるん？って聞いたら、また無視されて……その無視って何よりもツラくて、でも咲は死んでるから無視したくなくても無視しちゃうんやなって考えたら、私また泣いて泣いて。泣くことがこんなに痛いんやって初めて知った。ほんまに体の中がちゃんと殴られたみたいに痛くて、ほんまに痛かった。……あれから一ヶ月半が経って、泣く回数は少しだけ減りました。でも、泣く時間は長くなるんです。命ってほんまに一つなんですね。知ってたけど知らんかった」

現実的であり、現実味を感じさせない話を聞きながら、桜田さんとさっちゃんの話し方がよく似ていると感じていた。そして何も言えずにいた。

さっちゃんは、あの夜の次の日に事故に遭った。およそ一ヶ月半前。僕は本当に何も知らずにいじけていた。

「あの日、朝、私たち〈ため息〉行くために待ち合わせしたじゃないですか？　だから、いつもより早く起きて。そしたら、咲、ベランダで寝てたんですよ。……ビックリして、すぐに起こして。理由を聞いたら、落ち込んでるねんってひと言。何があったのかは知らんけど、だからってベランダで寝るのはおかしいやんって言ったら、夜空を見ててん。お父さん言うてたやんって……『元気が出ないときは夜空を見ときなさい。いずれ明るくなるから』って。ほな、咲が、ひょいって立ち上がって、空見て、『明るくなったー！　空も私も！　お父さんありがとう！』って言うてました」

僕は救われた気分になった。

「だから私も何度かベランダで夜空を見ながら寝ましたけど、全然ダメ。むしろ風邪ひきました。『お父さんと咲のアホー！』って言いました……私、この一ヶ月半、何もしてないんです。本当に何もしてない。毎日、家でボーッとしてるだけ。咲に、人生に限りがあること、時間の大切さを教えてもらったはずなのに。私、毎日何もしてない」

桜田さんは少しだけ笑った。

ここで僕はようやく口を開くことができた。

「昔、おばあちゃんに教えてもらった言葉があるねん。……『人は今日死ぬかもしれない。だから毎日を全力で生きなさい。でも多分、明日も生きてるから今日は休んでもいいよ』って」

「そうですよね。多分、明日も生きてますよね。明後日も。来月も。来年も。十年後も、多分、生きてますよね」

僕は濡れた頬を手の平で拭いながら、祭壇の横に立てかけられたギターを見た。

「あのさ、さっちゃんに聴いといてって言われてた歌があったんやけど。世界一の前奏やから聴いといてって言われてたのに、おれ聴かなかってん。最終的には、『もう聴かなくていいよ。

なんか恥ずかしいわ。聴かれるの』って言われてん。聴くって返事してたけど、聴く気なんてなかった。おれ、変じゃない？」

白状するように話すと、桜田さんは舌の先だけを出して笑った。口から苺《いちご》の先端を出しているように見えた。その横顔がさっちゃんに似ていた。

「スピッツの曲で歌い出しまでの前奏が脳天に痺《しび》れるって」

「あっ、『初恋クレイジー』だ」

「あ！　それ！」

「私、何回も聴かされましたよ。解説もたくさんされた。でも、めっちゃいい曲です」

食堂で楽しそうに会話をしている学生のようだった。

和室から出た桜田さんは、しばらくして『インディゴ地平線』というCDアルバムを持ってきた。

アルバムジャケットはバイクに乗った黄色ヘルメットの女性。背景は青空。微《かす》かな薄雲が空であることをわからせている。さっちゃんの遺影の背景にも薄雲があれば青空になっただろう。

桜田さんは祭壇の向かいにあるテレビとDVDレコーダーの電源を入れた。地上波のテレビはクイズ番組を放送していた。それがやたらと呑気に感じた。自分の身の回りに何が起きても世界は変わらず動き続けていることを象徴していた。

「DVDレコーダーでCD聴けるん？」

「え？　聴けますよ」

「何が映るん？」

「なんにも映りませんよ。音だけが流れます」

しばらくするとレコーダーからディスクトレイが出てくる。そこにCDを乗せると、なめらかな音を立てて戻る。

「私、この音めっちゃ好きなんです。ディスクを呑《の》み込むレコーダーの音。とってもなめらか」

「おれも好き！　こんなにカチカチなモノが、なんでこんなにもなめらかな音を立てられるのか意味不明」

胸に鈍痛のみを感じさせるこんな状況が、共感によって、晴れ間を見せた。

「なめらかなモノって、他に何があるやろ」

囁《ささや》くように言った桜田さんに試されているようだった。

「……綺麗に剝がせるシール。どう？」

「好きです。……新しく開けたジャムの平らな表面……どうですか？」

「好き。……麦茶を入れた魔法瓶の中で揺れる氷の音」

「好き。なめらか」

形がないはずの音を思い出すことは贅沢《ぜいたく》な時間の使い方だった。

レコーダーの起動準備が完了し、テレビ画面が真っ黒になった。

テレビの前に座っている僕らが、画面にぼやけて反射して幻想的だった。桜田さんはリモコンで操作して、アルバムの二番目の曲を選んだ。

僕らの間にさっちゃんの写真も反射していた。

桜田さんがリモコンを置いた。

さっちゃんにとっての世界一の前奏が始まる。

音楽のこと、楽器のことはわからない。だからこそ目を閉じて、耳に自分の感性全てを託した。さっちゃんと同じ感性でありたかった。世界一の前奏と思いたかった。脳天に痺れて欲しかった。

そして、前奏が始まった。

ピアノのなめらかな音。

鍵盤を撫でるような指となめらかな手首の動きが思い浮かぶ。

雫《しずく》が滴るような音。

忍び込んでくるドラム。と、思ったら堂々と走り出すドラム。

ギターなのか、ベースなのか、別々の場所から集まった音が一つになり並走する。

違う場所にボーカルがいるのだろうか。

歌い出しをカウントダウンするような、ギターかベース。

そして、細くてなめらかな強い声が丁寧に合流した。

桜田さんの自宅にも拘わらず、お構いなしに寝転び、歌を浴びる。

歌声は小刻みに震えているようにも、二つの音が重なっているようにも聞こえる。繊細だが演奏に掻《か》き消されない。

〈ため息〉の強い薄口の味を思い出させた。

「前奏と歌い出しどうでした？」

間奏でハーモニカが鳴り響くと聞いてきた。

「うん。世界一」

彼女が小さく笑った。

「ほんまですか？　一度しか聴いてないのに？」

「うん。ほんまに世界一。一回しか聴いてなくても、そう感じた。……歌でも、人でも、そう感じられることはある」

目の前にいる桜田さんの目をしっかりと見た。

僕らはもしかすると、世界一驚異的にお似合いな二人なのかもしれない。

それが錯覚でもいい。僕はそう感じたから。

そう思っていることが幸せだった。

「……桜田さん！　あのさ！　このままテレビの音量、最大にしようや！」

「え？」

「くだらないけど、やろう！　くだらんことやろう！」

「くだらないのに、やるんですか？」

小学五年の頃、意味もなく実家の庭をスコップで豪快に掘っていた。

この様子を見かけた父は呆《あき》れるように叱ってきた。

「くだらないことするな！」

「……え？」

いけないことをしているという意識は全くなかった。

父の声を聞いた祖母がどこからともなくやってくる。

「どうしたん？」

「庭掘るな。あとあと、大変やろ。くだらないことすんな」

父は祖母に説明する意味で、改めて注意してきた。それを制止するように祖母が、父よりも通る声を出した。

「くだらないことは素晴らしいんだよ。だって『下らない』だもん。つまり、上り続けるってこと。だから、くだらないことはたくさんしなさい。……くだらないことは下らない。上り続けよう」

祖母の言葉に、あっという顔をして口ごもった父の顔は忘れられない。

「そう！　くだらないことは下らない！　上り続けよう！」

「なにそれ？　おもろい」

山根に聞かせたいほどの桜田さんの大阪弁。

「大きい音なんか怖くない。『初恋クレイジー』の前奏からどんどん音量を上げていこう！

リモコン一緒に持って、音量ボタン一緒に押そうか」

徹底的にくだらなくしたかった。僕は一人で最大音量に挑戦したとき、銃を構えるようにリモコンを持った。それよりもくだらなく。

二人でリモコンを持った。祭壇を背にして、右に座っている僕は右手で、左の桜田さんも右手で持つ。音量ボタンの上に僕の親指、その上に桜田さんの親指。画面に反射している僕らは結婚式のケーキ入刀、みたいだった。しかし僕は右脚だけ伸ばして胡座《あぐら》、左側の桜田さんは正座をしている。それが間抜けで、くだらなさを膨張させた。あいだから覗くようにさっちゃんの顔が映る。桜田さんがそれに気付いているかは知らない。

『初恋クレイジー』を最初に戻す。

無音。

そして、なめらかなピアノの前奏が始まる。さっきよりも鍵盤を力強く叩いているように聞こえる。印象が少しだけ違って、何回も聴きたくなった。

「せーの」

僕の合図で音量を上げていく。ところどころで止める。どちらが主導で上げたり止めたりしているかはわからなかった。

あっという間に目盛りは半分を超えた。すでに外まで漏れそうなほど大きい。どちらも指を離さない。

一人、部屋で挑戦したときは大音量が怖かった。

桜田さんも「大きすぎる音は怖い」と言った。

目盛りは残すところ三分の一。ますます大きくなる。

微塵も怖くない。

僕らの平然とした顔が画面に反射している。

最大音量に達した。

拍子抜けするほど、あっという間だった。

大音量であることを主張するように、身体に振動が伝わる。

地球上の全ての音を集めたほどに豪快な音量。理屈で考えれば近所迷惑になりかねない。

いや、なっているに違いない。

それでも僕らはこれをうるさいと感じなかった。

『初恋クレイジー』を最大音量のまま聴く。

大きすぎる音は怖くなかった。

さっちゃんがもういないことの方が怖かった。桜田さんは妹を失って遥かに大きい怖さを感じているに違いない。

所詮、威圧的で大きな音は、軽かった。

さっちゃんの死は、嫌悪の塊で、苦くて、深くて、頑固で、夜空でも宇宙でもなく黒色の折り紙の黒さで、重かった。無理矢理、言葉に変換してみたが他人に伝えられるようなものではなかった。

大音量が他の音全てを掻き消している。

力強い演奏と丁寧な歌声。曲が終わると、耳が大音量に麻痺《まひ》したせいか、実際にそうなのかどうかはわからないが、静寂に包まれた。

次の曲が始まりそうだったが、桜田さんがリモコンを操作して、『初恋クレイジー』の始まりに戻した。隣の彼女を見る。視線を感じたのか、画面に反射した姿を見てか、彼女もこちらを見た。そして口角が上がり、口が少し開き歯が見えた。

その瞬間に目の下になめらかなシワができた。

目のやり場に困った僕は逃げるようにテレビ画面を見た。すると反射するさっちゃんと目が合った。

思わず、目をそらす。

あの夜、さっちゃんはたくさんの言葉で気持ちを伝えてきた。僕をほとんど見ずに。それでも何度か目が合った。涙がこぼれないように目を見開いていたさっちゃん。それに僕は気付かない振りをしていた。

そのときのさっちゃんの言葉。

「私みたいに同じこと何回も言うたらアカンで。シンプルやで！　単純にあの言葉だけを伝えたらいいねん」

「助走がなかったらあの言葉は伝えられへんわ」

「その子に告白するときにこっそり覗き見してチェックしたろか？」

「好きになってごめんな」

さっちゃんの声で脳内にこだました。

静寂を木っ端微塵にするように、大音量の『初恋クレイジー』が再度、始まった。

桜田さんがこちらを見たまま笑った。

しばらく僕は目の下のシワに見惚れた。大音量が耳に入ってこないほどに。

（目の下のシワ、指でなぞっていい？）

はっきりとした自覚を持って、いつもより少しだけ小さな声を出した。

桜田さんが笑顔のまま首をかしげた。意味がわからないわけではない。ただ聞こえていない。

僕の声は大音量に掻き消されていた。

（大教室で初めて桜田さんを見かけた。ドアにつかえて、一人で笑って、目の下になめらかなシワができてた。それを見たときに指でなぞりたいって思った。そのあと、一人でざる蕎麦を食べてた。強いと思った。こんなことを成し遂げられる人がいるんやって驚いた。でもそれは大きなお団子頭があったから、成し遂げられたらしい。おれで言う、日傘のような盾やったらしい。なんか全てにびっくりした。ほんまに、目の下のシワ、なぞっていい？　指で撫でていい？）

桜田さんが眉をひそめると笑いジワが消えた。全く聞こえていないのか、ところどころ聞こえているのか、全て聞こえているのかはわからない。

すると桜田さんが口を動かした。何も聞こえてこない。『初恋クレイジー』が全てを掻き消している。

今なら、助走をつけられる。臭すぎる言葉も言える。

（桜田さんは胴吹き桜のように美しかった。胴吹き桜は一輪で咲くから美しくて。隣に誰かがいたらダメで。でも今の桜田さんは、絶対に誰かが隣にいないとダメで。だって一人やったら笑わへんやろ？　桜田さんが笑うと、目の下にシワができる。だから、おれが隣にずっといて桜田さんを笑わせたい。そんな能力はないかもしれへんけど、努力はする。でも実は人を笑わせる裏技があるねん。それは目の前で、真顔で、本気で、反復横跳びをし続けるねん。絶対に笑ってしまうやろ？　だから安心して。どうしても笑わないときは裏技使うから。だからずっと隣にいたい。いさせて。離れられない二人になりたいな。初めて見たとき、そう思ったかも。桜田さんを一回しか見たことがなかったのに、そう思ったんかも。世界一や！　って。……そうや。〈ため息〉のオムライス食べたで。作るの苦手なはずが、めっちゃ美味しかった。でもその背景には計り知れへん物語があった。オムライスの名前の理由は単純やったけど、蓋を開ければめちゃくちゃ深かった。それと似てて、おれはほんまに単純に桜田さんのことがあれやねん。単純に。でも蓋を開けたら深い自信はある。なんでこんなにあれなんやろって考えたら、わけわからんくなるねん。なんかメビウスの輪みたいやねん。ごめん。わけわからんこと言うてる。とにかく、おれは桜田さんのことがほんまにあれやねん。……ほんまやな。恥ずかしくて言われへんのやな。しかも今、桜田さんに聞こえてないってわかってるのにな。それでも恥ずかしくて言えないって、すごい言葉やな。なんで言われへんのやろ？　ごめんな。何回も同じこと言って。ん？　同じことは言ってないんかな。似たようなことばっかり言うてるんか。長くなってるなー。どうにかしないとアカンとは思ってる）

何も聞こえていないはずの桜田さんは、話し続ける僕に困惑していたものの、途中からふざけていると思い、笑っていた。僕が、聞こえていると勘違いしている奴、を演じていると思っているようだった。

桜田さんは首をかしげ、口を動かしながら目の下のシワを見せて笑った。口の動きは「本当に何も聞こえないです」と言っているように見えた。

それでも僕は話し続ける。

（そうや……自分でも信じられへんのやけど、あの言葉を伝えるよりも、恥ずかしいことを今

からする。驚かないでな）

僕はリモコンから手を離し、人差し指をゆっくりと桜田さんの顔に近づけた。

この状況を理解していない桜田さんはさらに笑った。今を楽しんでいるようだった。突然人差し指を立てて、顔に近づけてくる僕を眺めて、この先の展開に期待しているように見えた。

人差し指がゆっくりと近づいてきても笑顔を保っている。笑い声を発しているかはわからないが、顔を少しだけ揺らしながら、笑顔が潰れない程度に笑っている。

そのまま人差し指を進めて、目の下のシワにたどり着かせた。指が当たった瞬間、戸惑った顔をしたものの、すぐに笑顔になった。さっきよりも大きな笑顔で、シワが深くなった。頬の肉に指が少し埋まる。大袈裟だが、そう感じた。

そのまま右にゆっくりとなぞった。

とてもなめらかだった。

綺麗に剝がせるシールよりも。

新しく開けたジャムの平らな表面よりも。

麦茶を入れた魔法瓶の中で揺れる氷の音よりも。

ディスクを呑み込むレコーダーの音よりも。

そして、なぞった道を戻り、シワを往復した。テレビ画面に目をやると、笑顔の桜田さんの頰に真顔の男が人差し指の先端を乗せていた。そのあいだからさっちゃんの動かない笑顔が見えた。

指を離すと、桜田さんは、何を長々と話された結果、頬を指で撫でられることになったのだろうと不思議そうな顔をした。

（ありがとう。やっぱりめちゃくちゃなめらかやった。予想通りやった。これからの人生、桜田さんと暮らして、生きたい。このシワと共に。桜田さんと過ごす年月をどんどん増やしたい。そして、桜田さんと出会っていなかった年月より長くしたい。その頃には顔に別のシワができてるかも。そのシワも愛したい。ほんまに実家に来てな。埃取らせてあげるから。でも絶対に桜田さんなら、あのロシア帽みたいな埃を見て『取れない。残しておこう』って言うのはわかってるねん。それくらいにおれらの価値観は似てる。ってかな、こんなことを祭壇の前で言うたらアカンってことくらいはわかってる。でもな、さっちゃんが『覗き見してチェックしたろか』って言うてくれてん。だから、今、言うてる。絶対に今、チェックされてるねん。まぁまだあの言葉は言えてないけど。今は助走やねん。助走が終わって、やっと、あれが言えるねん。ほんまにさっちゃんが言った通りや。長々、あーだこーだ言わないと、あれにたどり着かないわ。なんなんやろ。この気持ち。桜田さんのことを思うと、自分の髪の毛もむしりたくなるねんな。なぜか自分に攻撃したくなる。ほんまは桜田さんを抱き締めるためのエネルギーやと思うねん……臭い言葉やな。でもそれを発散する方法がないから、自分の耳とか髪の毛とかをぐしゃぐしゃにするんやろな。それだけおれを変にさせてる桜田さんはすごいし。なんかわからへんけど、夕暮れに一緒に歩きたい。夕焼けを顔に浴びるんじゃなくて、背中に浴びるねん。で、伸びる影を見て、どっちが長いとか。いつか社会人になったときに、仕事終わりで待ち合わせして、夕食を食べに行きたい。ほんで、どっちの鞄《かばん》が重いのかを比べたい。え？　おれ何言ってる？　でも今、めっちゃ楽しい。桜田さんへの言葉を伝え続けるだけの人生でいいかも。……おれやっとわかったわ。自分の居場所。桜田さんの隣やわ。そこだけ。雲が空にしかいられないように、おれは桜田さんの隣にしかいられない。〈このき〉は〈好き〉を少しでも時間をかけて伝えたいからやんな。でもこれ以上、時間はかけてられへん。一文字でも少なくして伝えないとアカンわ。だから正しい日本語で伝えます……助走はもうたっぷり取ったわ。もう言えるわ）

『初恋クレイジー』が終わった。

静寂に包まれる。

「好きです」

呆れるほど単純な言葉。

声に出してみると、どんな臭い言葉よりも臭かった。

静寂には僕が発した言葉しか溶けていない。

次の曲が始まった。大音量で。

桜田さんが何かを言っている。

再びできた目の下のシワを無許可でなぞった。さっきよりも強く。

二度目もなめらかだった。

第五章

幸空

満開の桜を何度見てきたのだろう。

同じ空を何度見てきたのだろう。

桜は咲き誇ることで、空は青さで、雲は形と量と配置で、二人を祝福した。

華やかな披露宴が円滑に進む。

新郎新婦の希望により、屋外でのガーデンウエディング。

司会者の女性が仕切り直す。

「では、ここで新婦のお母様より、とある方からのお手紙が読まれます」

着飾った参列者たちが静まり返る。小鳥が鳴いている。

ガーデンウエディングには似つかわしくない黒留袖《くろとめそで》を着た新婦の母親が、マイクの前で一礼した。

「えー、手紙を読ませていただきます。実はこれは、亡き夫から娘への手紙でございます。夫は娘が9歳の頃に他界しまして。『自分は参列できないけれど、ぜひ、娘の結婚式で読んでほしい』とのことで預かっています。娘はきっとこの手紙の存在には勘付いていたと思いますが、内容は知りません。それでは読ませていただきます」

貴重なものを取り扱うように、丁寧に、古びた封筒から手紙を出す。

「花《はな》へ。結婚おめでとう。お父さんです。お久しぶりです。どれくらいぶりでしょうか？　死ぬ準備ができるということはとても素敵なことです。おかげでこんな手紙を書ける。今頃、式場は涙の渦でしょうか？　なんせ、死者からの手紙ですからね。まぁそんなことはさておき、結婚相手はきっと花に相応《ふさわ》しいことでしょう。と書いてみたものの、花はまだ9歳で、全くピンと来ません」

手紙を読み始めてすぐに参列者たちが次々と涙する。手紙を読む新婦の母親も涙ぐみながら、必死で読んでいる。それが相乗効果となり、涙を流す人の数を増やしていく。

「……湯葉だって薄い。だから簡単にちぎれる。薄いことだけど、保つことが意外に難しくて。ん？　お父さんは一体何を書いてるんだ？　湯葉？　意味わからん！　そう！　こんな調子で85歳になってないかなー。手紙を書き続けるだけの人生でいい」

笑い声が上がったのもつかの間、再び涙に包まれる。

一文字ずつ大切に読み上げていき、いよいよクライマックス。

「会場にいる方々、突然、すみません。私は『幸せ』のことを、『さちせ』、『好き』のことを、『このき』と、読みます。それは、『幸せ』を少しでも早く伝えたくて、『好き』を少しでも時間をかけて伝えたいからです。まぁそんなことはさておき、花！　おめでとう。その人の隣が、花の居場所です。花はきっと、その人の隣じゃないとダメなんだよね。今日の空が一番好き！と毎日思って暮らせますように。今日の空はどうですか？　以上！」

新婦の母親は丁寧に手紙を折り畳み、古びた封筒に入れ直し、新婦に渡した。

参列者全員が涙を流している。

突如、坊主頭の参列者が一人立ち上がり拍手を送った。

それにつられて、一人、また一人と立ち上がり、地球全土に響き渡るほど大音量の拍手が巻き起こった。

ピンクの蝶ネクタイを首に結んだ老犬が尻尾《しっぽ》を激しく振りながら、高らかに吠えた。

新郎新婦は共に両肩を震わせながら空を見上げている。

青い空にはたくさんの雲があり、端の方で似たような形をした雲が二つ、寄り添うように浮かんでいた。

カバー写真／梅 佳代

表紙写真／福徳秀介

人物写真／本多アシタ

デザイン／坂脇 慶＋飛鷹宏明

モデル／ラブ

※本作品は、書き下ろしです。

※本作品はフィクションであり、
　実在する人物・団体などとは一切関係ありません。

福徳秀介（ふくとく・しゅうすけ）

1983年生まれ、兵庫県出身。関西大学文学部卒。同じ高校の後藤淳平と2003年にお笑いコンビ「ジャルジャル」を結成。TV・ラジオ・舞台・YouTube等で活躍。第13代目キングオブコント2020優勝。福徳単独の活動として、絵本『まくらのまーくん』は第14回タリーズピクチャーブックアワード大賞を受賞。絵本『なかよしっぱな』（2019）刊行。本作品が、小説デビュー作となる。

編集　片江佳葉子

今日の空が一番好き、とまだ言えない僕は

二〇二〇年十一月十六日　初版第一刷発行
二〇二四年十二月七日　第六刷発行

著者　福徳秀介
発行者　石川和男
発行所　株式会社小学館
〒一〇一-八〇〇一　東京都千代田区一ツ橋二-三-一
編集 〇三-三二三〇-五八二七　販売 〇三-五二八一-三五五五
DTP　株式会社昭和ブライト
印刷所　大日本印刷株式会社
製本所　牧製本印刷株式会社

ISBN 978-4-09-386575-3